Portret van een moordenaar

Richard Richmore

Portret van een moordenaar

vertaald uit het Engels door Bies van Ede

de Fontein

Voor Andrew, Jane, Hannah en Imogen
Harm watch, harm catch

NEDERLANDSE
KINDERJURY
2004

Oorspronkelijke titel: *Portrait of a murderer*
© 2001 Richard A.A. Richmore
Voor deze uitgave:
© 2003 Uitgeverij De Fontein, Baarn
Vertaling: Bies van Ede
Omslagafbeelding en illustraties: Juliette de Wit
Omslagontwerp: Rob Galema
Zetwerk: ZetSpiegel, Best

ISBN 90 261 1932 1
NUR 283

DOOD VAN ILLUSTRATOR ROEPT VEEL VRAGEN OP

De dood van de bekende tekenaar en illustrator Edward Benny stelt de politie voor een raadsel. Benny, die sinds enige tijd in de gaten werd gehouden omdat hij wordt verdacht van contacten met de gisteren gearresteerde en vandaag overleden maffialeider Beluga, werd dood aangetroffen met een foto van zichzelf in de hand. Uit de omgeving is op te maken dat de foto op Sicilië is genomen.

Onderzoek heeft aangetoond dat Benny is overleden aan een hartstilstand, waarschijnlijk veroorzaakt door grote opwinding of schrik.

Zijn ex-vrouw en dertienjarige zoon weten zeker dat Benny nooit op Sicilië geweest is en dat maakt de zaak nog vreemder, want de foto is origineel, dus niet met een computerprogramma bewerkt.

Waarom de foto Edward Benny zoveel schrik heeft aangejaagd, is niet duidelijk. (PRESS ASSOCIATES)

1

'Geweldig, pap!' zei Andrew. 'Ik wist niet dat je ook portretten tekende.' Het was vrijdagmiddag. Andrew was uit school naar zijn vader gegaan, waar hij volgens de omgangsregeling het weekend hoorde te logeren.

Andrews vader keek op van zijn werk. 'O, dat? Probeerseltje. Gisteravond gemaakt.'

Andrew bekeek het portret. Het was een vrouwengezicht, getekend met houtskool op een groot vel papier. Zijn vader had er erg veel werk in gestoken voor een probeerseltje. Het portret leek zo'n foto die in de computer veranderd is tot een tekening.

'Wie is het?'

'Hmm?'

'Die vrouw.'

'O, niemand. Gewoon uit mijn hoofd gedaan. Het is niet iemand die we kennen. Maar misschien is het een gezicht dat ik onthouden heb. Iemand die ik lang geleden een keer ben tegengekomen.'

'Grappig,' zei Andrew. 'Dan is er dus iemand die niet weet dat ze getekend is.'

'Ja,' zei zijn vader, 'of precies andersom. 'Er is een teke-

ning waar we niet van weten of er een gezicht bij hoort.'
Andrew legde de tekening weg. Het papier rolde zichzelf
op. 'Ga je hem verkopen?'
Zijn vader legde het rode potlood waarmee hij een tekening inkleurde weg en keek hem spottend aan. 'Verkopen? Denk je dat iemand ook maar een pond over-
heeft voor een portretje dat ik gemaakt heb? Als dat zo
was, zou ik mijn geld wel verdienen met portretten.'
Er was een scherpe toon in zijn stem gekomen. Andrew
kon zichzelf wel knijpen. Hij had het verkeerde onderwerp aangesneden. Over zakgeld voor zijn weekend naar
Edinburgh hoefde hij nu niet meer te beginnen.
'Geld...' zei zijn vader. Het klonk minachtend, maar hij
bedoelde het tegenovergestelde.
Geld was het onderwerp dat je bij Andrews vader moest
mijden. Geld was altijd een probleem.
Normale vaders maakten zich druk om promotie, om
wat de buren zouden zeggen over de nieuwe auto, of over
hun buikje dat zelfs met drie uur trainen per week in de
sportschool niet wilde verdwijnen.
Andrews vader maakte zich uitsluitend zorgen om geld.
Niet om hoevéél, maar om hoe weinig hij verdiende met
het illustreren van boeken. Veel geld verdienen, dat
deden alleen anderen. Schrijvers verdienden veel, uitgevers nog meer en de filmmakers die succesvolle boeken
verfilmden werden slapend rijk. Iedereen verdiende veel,
behalve de illustratoren van een boek; die kregen een
fooi, een schijntje. Hoe hard ze ook werkten, welke
prachtige aanlokkelijke omslagen ze ook maakten, ze
werden afgescheept met een zakcentje.
'Ik maak minstens de helft van een boek!' zei Andrews

vader. 'Meer, misschien wel. Wat de schrijvers niet uit hun pen krijgen, teken ík! Zij komen er niet uit, dus ze laten het aan mij over om de lezers te laten zien wat ze niet kunnen uitbeelden. Ík geef hun helden en schurken een gezicht. En wat krijg ik ervoor?'

Op school werd Andrew soms enthousiast aangesproken. 'Hee, jij heet toch Benny van je achternaam? Jouw vader is toch die tekenaar?'
Dan knikte Andrew en deed alsof het geweldig was om de zoon van een beroemd tekenaar te zijn, alsof het alleen maar glitter en glamour was.
Dat was het niet en dat zou het nooit worden. Geld was het probleem bij zijn vader. Altijd.

Edward Benny was een van de bekendere tekenaars. Hij bewoonde een huurappartement op de begane grond van een groot, oud en stil huis. In zijn werkkamer, aan de achterkant van de etage, stond een boekenkast vol boeken waarvoor hij omslagen en illustraties had gemaakt. Op de schoorsteen praalden de prijzen die hij met zijn tekeningen gewonnen had. Er was zelfs een buitenlandse prijs bij.
Edward was er wel trots op, maar hij was er niet tevreden mee. 'Wat koop je voor een prijs? Je krijgt er alleen maar meer slechtbetaald werk door.'
Daarom verbaasde het Andrew dat zijn vader voor de lol, zonder dat het geld opleverde, een portret had gemaakt. Zomaar, als 'probeerseltje'. Het verbaasde hem nog meer, dat zijn vader niet bedacht had dat er geld te verdienen viel met portretten.

Hij liep zijn vaders werkkamer uit naar de huiskamer en zette de televisie aan. Het was pas vrijdagmiddag. Hij hoopte dat er een goed moment kwam om extra zakgeld te vragen, maar hij zag het somber in.

Zaterdagmiddag ging de telefoon. Andrew en zijn vader kwamen net terug van de supermarkt, waar ze weekendboodschappen gedaan hadden.

'Neem jij hem maar, het is vast je moeder.'

Andrew nam de telefoon op. 'Hai ma.'

Er heerste even een verwarde stilte aan de andere kant van de lijn.

Fout, dacht Andrew, dit is niet ma.

'Met Benny boekillustraties,' zei hij daarom haastig.

'Meneer Benny? Vito Gualtièry hier. Ik ben de persoonlijk secretaris van meneer Beluga. Ik wil graag op korte termijn een afspraak met u maken.'

Het duurde even tot het hele verhaal tot Andrew was doorgedrongen.

'O,' zei hij toen. 'O ja, dan moet u mijn vader hebben. Een momentje alstublieft.'

Hij legde zijn hand over de hoorn. 'Páp! Meneer, eh... een meneer voor je!'

Zijn vader liet de boodschappen uit zijn handen op het aanrecht vallen en nam de telefoon over.

'Ja?' zei hij vermoeid.

Het telefoongesprek was verbazingwekkend kort voor het effect dat het op zijn vader had.

Zijn aandeel in het gesprek kwam neer op uitroepen als: 'Meent u dat? Míjn werk? Nee, wat leuk! Ja, maar natuurlijk. Graag zelfs!'

Toen hij de telefoon had neergelegd zag hij eruit als de vrolijke vader die Andrew zich herinnerde van toen hij klein was.

'Wat denk jij van een pizza?'

'Nou, lekker, pa!'

'*Calzone* voor ons allebei?'

'Te gek!'

Terwijl zijn vader de pizza bestelde werd Andrew erg benieuwd naar het telefoongesprek. *Pizza calzone* was het meest feestelijke wat zijn vader kon bedenken. Er moest iets heel bijzonders gebeurd zijn.

'Vertel nou!' zei hij tegen zijn vader, toen het eten op was. Edward Benny bekeek de fles wijn die de pizzakoerier had meegebracht. Hij was bijna leeg. 'Geheimpje,' zei hij plagerig. 'Ik vertel je er alles over zodra ik zelf meer weet. De volgende keer dat je bij me bent. Oké?'

Andrew knikte.

Toen zijn vader de laatste wijn op had, durfde hij over zakgeld te beginnen.

Hij kreeg meer dan hij verwacht had.

2

Pas toen Andrew zondagmiddag vertrokken was, had Edward Benny tijd om na te denken over wat het telefoontje te betekenen had.

De naam Beluga kende hij vaag uit de kranten en het journaal. Hij was een zakenman, eigenaar van een pizzaketen. Hij was rijk. Dat moest wel, want geld speelde geen rol, had zijn secretaris gezegd.

Edward herinnerde het zich woord voor woord:

'Mevrouw Beluga was als kind al dol op uw tekeningen. Dus wil meneer Beluga graag dat u een portret van haar maakt voor haar verjaardag. Is zoiets mogelijk?'

'Natuurlijk, maar ik illustreer kinderboeken. Ik ben geen portrettekenaar.'

'Meneer Beluga weet zeker dat u het kunt.'

'Ik zal moeten oefenen.'

'De details wil meneer Beluga graag zelf met u bespreken. Geld is in elk geval geen bezwaar. Kunt u maandagmiddag?'

'Ja, maar natuurlijk. Graag zelfs.'

En nu had hij dus misschien een opdracht. Eindelijk eens werk waar geld mee te verdienen viel.

Hij bekeek het portret dat Andrew zo bewonderd had. Was het mooi?

Het gezicht leek te leven, dat was het goeie eraan. Het was alsof er echt iemand tegenover hem had gezeten toen hij het maakte. Grappig dat je uit je hoofd een portret kon maken van iemand die echt leek te bestaan.

Hij pakte een vel tekenpapier en plakte het op zijn bureau.

Twee uur lang was hij bezig met een tekening van een blonde vrouw die niet bestond. Toen het portret klaar was, bekeek hij zijn werk tevreden.

Een vrouwengezicht keek hem vanaf het papier aan. Het glimlachte, alsof het iets zeggen wilde. Fijn dat je me getekend hebt, bijvoorbeeld. Of: ik ben zo blij dat ik nu eindelijk een gezicht heb.

'Nou, hartelijk welkom,' zei Edward. Hij keek naar de klok. Tijd voor een drankje, dacht hij, en dan naar bed, want morgen moet ik fit en representatief zijn.

Toch nog veel te laat ging Andrews vader naar bed, maar hij was wel erg vrolijk.

Het kantoor van meneer Beluga was een onopvallend gebouw aan de rand van een bedrijvenpark. Zo'n betonnen doos die ze in drie weken in elkaar zetten. De naam van de pizzaketen stond in neonletters op de gevel: PIZZA NAPOLI.

Edward kende ze wel, de Napoli-pizza's. Vooral de pizza's met champignons vond hij lekker. Soms, als hij snel een boek moest illustreren, at hij dagen achter elkaar *pizza con fungi* van Napoli.

Het was wel een grappige gedachte: als hij geluk had hoefde hij een hele tijd geen Napoli-pizza's meer te eten. Geld speelde geen rol, had meneer Beluga's secretaris toch gezegd?

Hij parkeerde de auto en liep het gebouw binnen.

Een vriendelijk meisje achter de balie bracht hem direct naar de lift toen hij zei waarvoor hij kwam.

'Meneer Beluga wacht al op u. Komt u maar gauw verder. Hij is hier altijd maar een uurtje.'

Hmm, dacht Andrew. De directeur komt maar een uurtje. Ik wou dat ik directeur was en in een uurtje een hoop geld kon verdienen.

Hij stapte uit de lift in een met dik tapijt bedekte gang. Er hingen schilderijen aan de muur die je niet in een kantoor zou verwachten. Andrew herkende doeken van Francis Bacon en Emily Carr. Dure doekjes.

Aan het eind van de gang ging een deur open. Een rijzige man in een onberispelijk kostuum stak hartelijk een hand uit.

'Meneer Benny? Fijn dat u kon komen.'

Meneer Beluga zag eruit als een aristocraat. Scherpe neus, mager gezicht met borende zwarte ogen en strak achterovergekamd haar. Vincent Price als dokter Van Helsing in een Draculafilm, dacht Andrew.

Hij schudde de uitgestoken hand die koel aanvoelde.

'Komt u beslist verder, meneer Benny.'

In het kantoor was een zitje gemaakt dat uitkeek over het bedrijvenpark. Twee kleine, comfortabele stoelen met een tafeltje ertussen, tijdschriften op het glazen blad, een zware asbak, dure sigaren en sigaretten.

Meneer Beluga schonk koffie in en ging tegenover hem zitten.

Hij is minstens zestig, dacht Edward. Zou zijn vrouw zo'n verveeld oud mens zijn, dat niks beters te doen heeft dan kinderboeken lezen?

'Isabella, mijn vrouw, meneer Benny, wordt volgende maand drieëntwintig. We zijn op haar verjaardag precies een jaar getrouwd, dus ik wil haar een cadeau geven. Een heel bijzonder cadeau. U kunt me daarbij helpen.'

Edward knikte. 'Uw secretaris heeft me al iets verteld.'

'Dan hoef ik daar niet veel meer aan toe te voegen. Zolang ze zich kan herinneren, vindt mijn vrouw uw tekeningen de mooiste die ze ooit gezien heeft. Ik heb bij al uw uitgeverijen geprobeerd uw werk te kopen. Sommige weigerden, andere niet. Er hangen veel van uw illustraties in de vertrekken van mijn vrouw. Voor haar verjaardag wil ik iets geven dat u speciaal voor haar gemaakt hebt. Haar portret. Het zal een grote verrassing worden.'

'O...' zei Andrew. 'Maar dan kan ze niet voor me poseren. Dan moet ik foto's hebben. En een portret alleen van foto's... volgens mij wordt dat nooit echt een levendig portret. Het blijft... doods, om het zo maar te zeggen.'

Meneer Beluga knikte. 'U bent de meesterschilder, u zult wel gelijk hebben.' Hij streek met zijn vinger langs zijn neus terwijl hij even nadacht. 'Ik zal zorgen dat u mijn vrouw kunt ontmoeten. U krijgt snel bericht van me.' Hij stond op en stak zijn hand uit.

Edward had niet meer dan een klein slokje van zijn koffie gehad. Maar de hand van meneer Beluga was zo dwingend uitgestoken dat hij hem wel moest schudden.

'Een voorschot zal onmiddellijk op uw bank worden gestort. Ik onderhandel niet over de prijs. U zult er tevre-

den mee zijn, dat beloof ik u. Doe ik er u een plezier mee als u de rest van het bedrag contant in handen krijgt?'
Hij had Edward geen groter plezier kunnen doen.

Edward Benny was érg tevreden. Het bedrag dat de volgende dag op zijn bankrekening stond, was genoeg om een maand van te leven.
Meneer Beluga liet er geen gras over groeien. 's Middags werd er gebeld door Vito Gualtièry, de secretaris.
Edward was bezig met een kleurenversie van het portret waar Andrew zo enthousiast over was.
Iemand die tot leven komt omdat ze een gezicht krijgt, hoort ook een naam te hebben, dacht hij. En hardop zei hij tegen het papier: 'Ik noem je Hetty... Henriëtta... Nee, Hetty.' Het leek of het gezicht hem vanaf het papier goedkeurend toeknikte.
De secretaris belde 's middags. Hij was kort en zakelijk.
'Mevrouw Beluga heeft woensdagmiddag een fotosessie bij Mike Turner. Hij is een vooraanstaand modefotograaf. Ze denkt dat er voor haar verjaardag een foto van haar gemaakt wordt. U kunt daar onopvallend bij aanwezig zijn. De fotograaf, meneer Turner, weet ervan.'
Edward kreeg een telefoonnummer, een adres en een tijd: halfvier.
In zijn agenda zag hij dat hij een afspraak bij een uitgever had. Natuurlijk verzette hij die onmiddellijk.
Hetty kreeg een plekje aan de muur, keurig ingelijst met passe-partout en al, tussen de prijswinnende tekeningen uit kinderboeken.
Andrew belde 's avonds. 'Hoi pap.'
'Hee, gozer. Alles goed?'

'Mag ik overmorgen bij je komen? Mama moet weg en ik heb geen zin om alleen thuis te zitten.'

Zijn vader slaakte een diepe zucht. 'Ik heb een ontzettend belangrijke afspraak overmorgenmiddag.'

'Kan ik niet mee?'

'Nee, schat, ik moet naar een fotostudio.'

'Wat moet je dáár dan?

'Eh...' Edward besefte dat hij het belangrijker liet klinken dan hij kon uitleggen. 'Ik moet kijken hoe iemand gefotografeerd wordt, maar die iemand mag niet weten dat ik er ben. Ik moet haar stiekem tekenen.'

'Hee, spannend, pa. Waarom mag ik niet mee?'

'Omdat eh...'

Er schoot Edward iets te binnen. Natuurlijk moest hij Andrew meenemen. Zijn zoon was de perfecte dekmantel. Hij kon doen alsof hij een vader was die zijn zoon wilde laten fotograferen. Zo zou mevrouw Beluga al helemaal geen achterdocht hebben.

'Nou, wel ja, kom gezellig mee.'

'Te gek pa. Denk je dat er topmodellen zullen rondlopen? Naomi Campbell, en zo? Of popartiesten, Robbie Williams?'

Zijn vader grinnikte. 'Als die er al zijn, is het hooguit op een foto.'

'En waarom moet jij eigenlijk naar die studio?'

Edward vertelde over zijn opdracht voor het portret van Isabella Beluga en toen snapte Andrew waarom hij extra zakgeld had gekregen.

3

Andrew kwam die woensdagmiddag iets na enen bij zijn vader binnen. Hij bekeek het kleurenportret van Hetty en het nieuwe, nog naamloze portret van de blonde vrouw met open mond. 'Pap, dit is het mooiste wat je ooit gemaakt hebt.'

'Vind je?' vroeg zijn vader. 'Nou, dankjewel.'

'Ze zijn allebei mooier dan *Het waterweesje*.'

Zijn vader grijnsde breed. 'Eerlijk? Dat was altijd je lievelingsprentenboek.'

Andrew knikte. 'Dat eendje uit *Het waterweesje* vond ik altijd zo mooi getekend. Net of het zomaar van de bladzijde af kon zwemmen. Maar dit gezicht is nog veel echter. Het lijkt wel of ze naar me knipoogt.'

'Ja, Hetty is goed gelukt, dat vind ik ook wel.'

'Heet ze Hetty?'

'Ik noem haar Hetty. Ze bestaat niet, want ik heb haar verzonnen, maar ze heet Hetty.'

'En hoe heet die blonde?'

'Uhm, weet ik nog niet. Wat denk je van Linda?'

'Ja,' zei Andrew, 'ze ziet er wel uit als een Linda. Dit moet je vaker gaan doen, pap.'

18

'Als ik er net zo goed voor betaald word als voor de klus die ik nu heb, zal ik dat zeker doen,' zei zijn vader. 'Zullen we nu dan gaan? Ik wil niet te laat komen.'

De fotostudio lag aan een smalle straat in het centrum van de stad. Er was een lage onopvallende deur in een sombere gevel. Daarnaast een bellenbord met vier bellen, vergeelde naamkaartjes en een microfoontje om in te praten.

De deur ging open met gezoem en een ijzeren klik.

Andrew en zijn vader keken elkaar aan en liepen naar binnen.

Ze waren in een garage, waar twee vintage Porsches naast elkaar stonden. De achterwand van de garage bestond uit schotten van hout met veel glas. Daarachter lag een ruimte waar je zonder problemen een truck met oplegger kon fotograferen.

Andrew en Edward zagen filmzonnen, camera's op statieven en een paar vrouwen die ongetwijfeld fotomodel waren.

Naast elkaar, hun mond halfopen, stonden ze even te kijken.

Andrews vader ontdekte een deur en schoof hem open.

Een man met een lange paardenstaart en een pak in tijgerprint kwam op hen af. 'Turner,' zei hij terwijl hij zijn wenkbrauwen vragend optrok, alsof hij wilde zeggen: wat doen jullie hier?

'Benny,' zei Andrews vader. 'Ik ben uitgenodigd om...'

'Ah, natuurlijk.' Turners wenkbrauwen gingen omlaag. 'U bent de illustrator. Ik heb geloof ik weleens van u gehoord.'

'Dit is Andrew, mijn zoon.'

'Prima, prima idee. U wilt uw zoon laten fotograferen. Een uitstekend alibi.'

Er schoot Andrew iets te binnen. 'Stel je voor dat ze je herkent, pa!'

Edward glimlachte bitter. 'Die kans is heel klein. De laatste keer dat er een foto van me ergens in stond, is zeven jaar geleden. Sinds die tijd ben ik op z'n minst tien jaar ouder geworden. Ik denk dat we daar niet bang voor hoeven te zijn.'

Mike Turner knikte naar een hoek van de studio waar een spierwit decor was opgebouwd. Voor dat decor zat een vrouw op een barkruk. Ze glimlachte naar de camera.

Andrew zag dat zijn vader haar bekeek als een kat een muis; begerig en heel scherp.

'Is dat Isabella Beluga?' fluisterde hij.

Turner en zijn vader knikten.

'Mag ik van dichterbij kijken?' Hij wachtte het antwoord niet af.

De vrouw op de barkruk had prachtig krullend zwart haar, dat haar bleke gezicht met gitzwarte ogen scherp naar voren liet komen.

Als je een kleurenfoto van haar maakt, dacht Andrew, is hij nóg zwart-wit.

Mooi was ze wel, maar op een onechte manier. Té mooi wordt namaak. Maar ze had met gemak fotomodel kunnen zijn.

Een magere man bekeek haar door een camera terwijl iemand anders op zijn aanwijzing lampen instelde.

De vrouw kreeg Andrew in de gaten en glimlachte vluchtig.

Andrew stak zijn hand op. Hij durfde niets te zeggen omdat hij bang was de fotografen in hun werk te storen. Wat een verschil, deze studio met de werkkamer van zijn vader. Hier werd echt gewerkt, hier was iedereen serieus en geconcentreerd bezig. Heel wat anders dan zijn vader die ontevreden met zijn kleurpotloden, houtskool en waterverf in de weer was.

Een klaterende lach klonk door de studio. Andrew keek om. Twee vrouwen in badjassen, die wel model moesten zijn, liepen giechelend een kamertje in.

Turner en zijn vader kwamen naast hem staan.

'Vind je het interessant?' vroeg zijn vader.

Andrew knikte.

'We hebben het te druk voor een rondleiding,' zei Turner. Hij gaf hun een knipoog en liep naar de vrouw op de barkruk. 'Mevrouw Beluga, we zijn er wel zo'n beetje klaar voor. Dadelijk moet de jongen gefotografeerd worden. Dus als u óók klaar bent, gaan we schieten.'

Mevrouw Beluga's mond vertrok tot een dunne streep. Haar ogen werden groot, alsof ze enorm schrok en haar haren leken hun krul te verliezen. Het duurde maar even. Een fractie van een seconde, meer niet. Toch wist Andrew zeker dat ze bij schieten aan kogels gedacht had, niet aan foto's.

'Natuurlijk ben ik er klaar voor. Maar als de jongen en zijn vader ons dan even alleen kunnen laten?'

Ze lachte verontschuldigend naar hen. 'Ik word een beetje verlegen van al die aandacht.'

'Natuurlijk,' zei Turner. Hij knikte licht gebiedend naar Andrew en zijn vader. 'Gaan jullie even naar de wachtkamer? Jullie krijgen wel een seintje als we hier klaar zijn.'

Andrew en zijn vader draaiden zich om.
'Ze heeft je inderdaad niet herkend, pap.'

De wachtkamer was een kleine ruimte van hout en glas,
die tegen de zijwand van de studio gebouwd was.
Er stonden luie stoelen en tafeltjes met stapels modetijd-
schriften. Tegen een van de muren stond een make-up-
tafel met lampjes langs de lijst van de spiegel.
Net als in het theater, dacht Andrew. Zouden hier nou
echt wereldberoemde fotomodellen en actrices hun neus
gepoederd hebben?
Hij liep naar de tafel toe om zichzelf te bekijken, maar
voordat hij daaraan toekwam, viel zijn blik op een poster
naast de tafel.
Het was een groot vel vol pasfoto's. Zwart-wit, niets bij-
zonders. Waar maakte deze poster reclame voor?
'Mother Carole's Agency,' las hij.
Onder elk fotootje stond een naam en een nummer.
'Afra, 1B144', 'Eileen, 4D42' en zo verder.
'Pap, wat is dit voor reclame?' vroeg hij.
Zijn vader kwam naast hem staan, fronste zijn voor-
hoofd even en zei toen: 'Dit zijn de modellen van Mother
Carole. Het is een modellenbureau. Ik denk dat het de
bedoeling is dat een fotograaf heel snel zijn keuze kan
maken uit het aanbod.'
Hij verlegde zijn blik en keek naar mevrouw Beluga, die
nu helemaal klaar zat voor de foto.
'Ik moet even heel goed kijken,' zei hij. 'Want anders kan
ik haar niet goed tekenen.'
Terwijl zijn vader keek, weer met zo'n roerloze blik waarmee een kat een prooi bestudeert, liet Andrew zijn ogen

over de pasfoto's op de poster gaan.

Ergens midden in de derde rij van onderen herkende hij iemand. 'Pap!' siste hij, 'moet je nou toch eens kijken!'

Zijn vader reageerde niet. Hij ging helemaal op in mevrouw Beluga en het flitsen van de lampen wanneer de camera afdrukte.

'Pa-hap!'

'Wat is er nou!' Ergernis in zijn vaders stem. 'Ik moet kíjken!'

'Ja, maar, pap, kijk nou hier. Dit is een foto van Hetty.'

'Hetty? Wie is Hetty?' Zijn vaders stem klonk minder geïrriteerd.

'Hetty... Je tekening. Het is haar echt.'

Nu keek zijn vader mee.

Samen, hun hoofden vlak bij elkaar, bekeken ze het fotootje.

Het was haar echt. Het was echt Hetty. En het wás ook echt Hetty, want dat stond eronder: Hetty C45-03.

'Onmogelijk,' zei Andrews vader. 'Dit is volkomen godsonmogelijk. Ik heb Hetty zelf verzonnen. Haar gezicht is verzonnen en haar naam ook. Hetty bestaat niet.'

Maar er was geen ontkennen aan. Hetty bestond echt.

4

Ze gingen weg uit de studio vlak nadat mevrouw Beluga vertrokken was.

'De foto's krijgt u morgen per koerier,' zei Turner. 'Hebt u genoeg naar haar kunnen kijken?'

'Jawel, jawel,' zei Andrews vader afwezig. 'Ik denk wel dat het gaat lukken. Ik wilde u nog iets vragen, iets heel anders. De modellen op die poster...'

'Mother Carole's Agency?'

'Ja, die bedoel ik. Kent u die allemaal?'

Turner glimlachte. 'Allemaal? Nee, alleen de topmodellen.'

'Aha, en Hetty? Weet u wie dat is, hebt u wel eens met haar gewerkt?'

Turner fronste nadenkend zijn voorhoofd. 'Ik kan het me niet herinneren. Hetty... nee, ik geloof het niet.'

'Jammer,' zei Andrews vader. 'Ze heeft een intrigerend gezicht. Ik had haar graag eens willen tekenen.'

'Dan belt u het modellenbureau toch? Maar ik zeg het van tevoren: Mother Carole's is niet goedkoop.'

'Dat zal ik in mijn achterhoofd houden.'

Op weg naar huis dachten ze allebei over hetzelfde en wachtten ze allebei tot de ander erover zou beginnen. Thuis liepen ze direct naar het portret van Hetty.

'Het was haar echt,' zei Andrew.

Zijn vader, die naast hem stond, knikte. 'Ja, het is haar echt. Je zou er bang van worden.'

'Dit moet je uitzoeken, pap. Misschien is het wel... misschien heb je wel een gave, of zo.'

Zijn vader grijnsde. 'Ja, wel ja, een gave. De enige gave die ik heb is poppetjes tekenen. Ik wou dat ik met die gave genoeg verdiende om me geen zorgen over geld te hoeven maken.'

Hij liep naar zijn tafel. 'En nu we het daar over hebben, ik moet weer aan het werk. Vermaak jij jezelf?'

Andrew knikte. Hij zette de tv in de woonkamer aan en zocht MTV op. Van de clips zag hij weinig. Steeds zag hij het postzegelgrote gezicht van Hetty voor zich. Zijn gedachten gleden weg op een stroom van fantasieën.

Zijn vader die wereldberoemd werd met het portretteren van topmodellen... zijn vader die op vip-party's werd uitgenodigd... En geen gezeur over geld meer. Vooral dat.

Zodra Andrew rond een uur of vijf vertrokken was, liep Edward naar de telefoon, belde inlichtingen en voeg het nummer van Mother Carole's op.

De telefoon werd onmiddellijk opgenomen en een ingeblikte stem vertelde dat het bureau de volgende dag om negen uur weer bereikbaar was. Teleurgesteld hing hij op.

Hetty keek hem glimlachend aan. Nu weet ik je naam, dacht Edward. Hetty Ceeviervijfnuldrie. Rare achter-

naam, zo'n code. Beetje buitenlands en eigenlijk onuit-
spreekbaar. Zal ik je anders noemen?
Hij deed een stap achteruit, bekeek het portret nog eens
heel aandachtig en zei toen: 'Hamilton, zo heet je. Hetty
Hamilton.'
Tevreden ging hij verder aan de illustraties voor het kin-
derboek waarmee hij bezig was.

De volgende dag om halftien ging de deurbel. Edward
zat slaperig in zijn ochtendjas met een beker koffie. Hij
was tot laat doorgegaan de vorige avond, want het werk
wilde niet vlotten. Zijn gedachten gingen voortdurend
van mevrouw Beluga naar Hetty Hamilton en Turner, de
fotograaf. Er werden kapitalen verdiend met modefoto-
grafie, zowel door de modellen als door hun fotografen.
Een ochtendje werken en ze hadden meer op hun bankrekening dan hij in een maand verdiende. En wat stelde
het nou eigenlijk voor? Zo'n foto was in een halfuurtje
geschoten, terwijl een getekend portret een hele dag
kostte. Daar zat hij nou te priegelen aan een suf kinder-
boek terwijl Turner in een trendy restaurant van zijn
cognac nipte.
Het was dus laat toen hij zijn werk eindelijk af had.

Met zijn koffiebeker in zijn hand liep hij naar de voordeur.
Een motorkoerier met een vuurrood leren pak en met een
glimmende, pikzwarte integraalhelm op stak hem een
grijze kartonnen envelop toe. Edward kon zichzelf zien in
het zwarte plastic van het vizier. Aan koeriers was hij wel
gewend, maar niet aan een koerier die zijn gezicht verborgen hield. Hij vond het lichtelijk verontrustend.

'Moet ik tekenen?' vroeg hij.

De koerier schudde zwijgend zijn hoofd en liep naar zijn motor die midden op de stoep stond.

'Uw vriendelijke koeriersdienst,' mompelde Edward. 'Het is zeker moeilijk om fatsoenlijk personeel te krijgen.'

Hij duwde de deur dicht en bekeek de envelop terwijl hij naar de woonkamer liep. Geen adres, geen afzender.

Na een grote slok koffie zette hij zijn beker neer en scheurde de envelop open.

Er gleden foto's uit. Glimmende zwartwitportretten van mevrouw Beluga. Ze waren schitterend. Edward was zijn gemopper over fotografen direct vergeten. Wie zó kon fotograferen was een toptalent en bovendien een geweldig vakman.

Ik ben blij dat ik mevrouw Beluga in het echt gezien heb, dacht hij. Als ik haar van deze foto had getekend, zou ze een soort onwerkelijke sprookjesprinses geworden zijn. Turner heeft haar menselijke kantjes op de een of andere manier tot iets bovenaards verheven.

Hij keek lang naar de foto's en vergeleek ze met de beelden die hij in zijn geheugen had. Na een derde beker koffie wist hij hoe hij mevrouw Beluga moest portretteren: in waterverf.

Het sponzen en opspannen van aquarelpapier was een werk dat Edward Benny nooit leuk had gevonden, maar hij wist hoe belangrijk het was voor het eindresultaat. Hij zocht wat penselen, zette verf klaar en ging aan het werk.

Aan het eind van de middag stond mevrouw Beluga op papier. Ze keek stralend de kamer in. Het was Edward gelukt het menselijke in haar gezicht terug te krijgen dankzij zijn haarscherpe herinnering aan haar.

Edward bekeek het portret van verschillende afstanden, zette het onder lamplicht, bracht het naar een schaduwhoek, hing het in de gang waar het licht koud en zakelijk was en zette het uiteindelijk op een ezel in de zonnigste hoek van de kamer.

In elk soort licht straalde het schilderij als een zonnetje.

Zo moest het, zo hoorde het te zijn.

Bijzonder ingenomen met zichzelf ging Edward zitten. Hij wist dat hij een verwaande grijns om zijn lippen had en vond dat die er terecht zat. Meneer Beluga zou tevreden zijn, heel erg tevreden. Misschien wel zó tevreden dat hij zijn zakenconnecties op het talent van Edward Benny zou wijzen. Wellicht hingen er over een paar jaar in de directiekamers van alle grote bedrijven portretten van Edward Benny.

Hetty is mooi, dacht hij, maar vandaag heb ik mezelf overtroffen.

'Ach, sukkel,' zei hij tegen zichzelf. 'Je zou het bijna vergeten zijn.'

Zonder zijn blik van de aquarel af te halen pakte hij de telefoon en drukte op het knopje 'laatst gekozen nummer'.

De telefoon ging vier keer over.

'Mother Carole's Agency,' zei een suikerzoete mannenstem.

Edward legde met veel omhaal van woorden uit wat hij wilde. Was het mogelijk om contact te leggen met model Hetty C45-03 om haar een portret te laten zien dat hij gemaakt had?

Het bleef even pijnlijk stil aan de andere kant van de lijn.

'Ja, ziet u,' zei de receptionist van het modellenbureau toen, 'mevrouw Henson is vorige week donderdag overleden.'

'Dus ze heet Henson,' zei Edward, tot wie het nieuws nog niet helemaal doordrong. 'Ik dacht Hamilton.' Toen pas hoorde hij wat er gezegd was. 'Wát zei u? Is ze overleden? Vorige week donderdag? Dat meent u niet... toen heb ik haar getekend!'

5

Edward Benny dronk nooit voor vijven, maar nu had hij zichzelf een glaasje ingeschonken. Hij had het vreemde gevoel dat hij een dierbaar familielid was kwijtgeraakt, of een goede vriendin die hij niet vaak zag, maar die toch een grote rol speelde op de achtergrond van zijn leven.

Hij stond voor het portret van Hetty en keek in haar ogen die nu, getekend, levendiger waren dan de ogen van Hetty Henson ooit nog zouden zijn.

Daarnet had hij de telefoon opgehangen na wat onhandig gemompel waarvan hij hoopte dat de receptionist het zou opvatten als een verontschuldiging. Nu wist hij allerlei vragen te stellen, maar het was natuurlijk te laat. Of niet? Kon hij nog een keer bellen?

Edward keek van zijn glas naar het portret en besloot dat het niet meer kon. Waar moest hij zijn informatie dan vandaan halen? Hij wilde nu alles weten over het leven en de dood van Hetty Henson.

Internet, natuurlijk! En de krant, natuurlijk.

Hij begon met de krant. In de hoek van de woonkamer lag een keurige stapel. Eens in de twee weken knipte Edward er plaatjes uit voor zijn archief. Handig als je bijvoorbeeld een tekening moest maken voor een boek dat zich op een bestaande plek afspeelde. Hij wilde natuurlijk wel naar Napels gaan, als hij een boek over die stad moest illustreren, maar ja... niemand was zo vriendelijk die reis voor hem te betalen.

Hij ging op de grond voor de stapel zitten en begon de kranten van de vorige week uit te pluizen. Er stond niets in over een gestorven fotomodel.

En dat hoeft ook helemaal niet, dacht hij. Misschien was Hetty helemaal niet beroemd, misschien woonde ze wel in België en misschien... er waren heel veel redenen te bedenken waarom haar overlijden de krantenpagina's niet zou halen.

Tot zijn genoegen – want vreugde was zo'n raar woord als het over een dode ging – vond hij een rouwadvertentie én een klein politiebericht. 'Donderdagmiddag overleed tijdens een modeshow van modehuis Caruzzi het jonge fotomodel Hetty Henson. De show, die voor aanstormend ontwerper Paolo Caruzzi een doorbraak had moeten zijn, werd afgelast. Over de doodsoorzaak van het pas achttienjarige model tast de politie nog in het duister. Onduidelijk is of de modeshow opnieuw zal worden gehouden.'

God, wat zal die Caruzzi er de pest in gehad hebben, dacht Edward spottend. Moet je je show stoppen omdat er zomaar een model overlijdt.

De rouwadvertentie was zakelijk en kort. 'Het overlijden van Hetty Henson heeft ons diep geschokt. Wij wensen haar dierbaren sterkte.' Ondertekend: Mother Carole's Agency.

Gets, wat is iedereen onder de indruk, dacht Edward.

Hoewel hij het niet van plan was, schonk hij zich nog een glaasje in.

Kon er dan niemand een traan laten voor de pas achttienjarige Hetty?

'Nou, ik wel,' zei Edward tegen het portret. 'Het is natuurlijk ook een gevaarlijke wereld. Feesten, drank en drugs en natuurlijk geen grammetje vet aan je lijf mogen hebben. Erg ongezond allemaal. Misschien zijn ze daarom allemaal zo zakelijk: iedereen weet dat er doden vallen in de mode.' Hij keek zichzelf bestraffend aan in de weerspiegeling van het raam. 'Slecht mens, Edward Benny.'

De rest van de dag hing hij voor de televisie, hij kookte iets simpels en belde kort met Andrew. Over de dode Hetty hield hij zijn mond. Wel vertelde hij uitgebreid hoe geweldig het portret van mevrouw Beluga geworden was.

'Mag ik komen kijken, pap?' vroeg Andrew. 'Voordat je het wegbrengt?'

'Ik breng het pas weg als ik geld heb, en dat zal best nog even kunnen duren. Wanneer kom je?'

Andrew moest zijn agenda erbij halen. 'Zondagmiddag... maar dan blijf ik niet eten, hoor, want mama maakt shepherd's pie.'

'Dat is goed, jongen. Ik heb het toch druk met illustraties die af moeten. Ik hoop niet dat ik het portret dan nog heb, maar áls het er nog is, mag je kijken zoveel je wilt.'

'O... ja... En hee, pap, ik moet je nog iets vertellen ik...'

De bel ging.

Op weg naar de voordeur brak Edward het gesprek met zijn zoon af.

Toen hij opendeed keek hij in het spiegelende zwarte vizier van een integraalhelm. De motorkoerier stak hem zonder een woord een smalle grijze envelop toe en was alweer weg voordat Edward dankjewel had kunnen zeggen.

In de envelop zaten gloednieuwe bankbiljetten. Ze knisperden terwijl hij ze telde.

Er zat geen begeleidend briefje bij het geld en dat was ook niet nodig. Het geld was de boodschap: u bent betaald, dus wilt u snel leveren?

Op de een of andere manier was het ook een beetje een dreigende boodschap. Een zwijgende koerier en een zwijgende opdrachtgever. Wat kostte het voor moeite om een beetje beleefd te zijn? Een kort briefje, gewoon voor de vorm: geachte meneer Benny, hierbij sturen wij u alvast de rest van de betaling voor uw opdracht... zoiets.

Gelukkig kon hij het zijn opdrachtgevers helemaal naar de zin maken.

Hij had de telefoon al in zijn hand toen hij zich bedacht. Ik heb gedronken. Stel je voor dat die secretaris van Beluga dat aan mijn stem hoort. Nee, ik moet het niet doen. Morgenochtend bel ik die Gualtièry als eerste.

Na het eten deed Edward wat hij anders nooit deed, hij keek televisie en telde met zekere regelmaat het geld uit de grijze envelop. Het was erg, erg veel geld, dus Edward was tevreden, erg tevreden.

Om acht uur ging de telefoon. Het was Andrew.

'Hee, pap, ik wilde je nog iets vertellen vanmiddag, maar je hing op omdat je de deur moest opendoen.'

'Ja,' zei Edward, die zich prettig loom voelde. 'Was het belangrijk wat je me wilde vertellen?'

'Een beetje wel, pap.'

'Nou kom op dan maar.'

'Dat portret dat je getekend had, hè?'

'Hetty, bedoel je?'

'Nee, dat andere, van Linda.'

'Ja...' zei Edward aarzelend.

'Nou, ik was op de site van Mike Turner, de fotograaf, en... en het is heel gek pap. Maar ook die vrouw bestaat echt. Net als Hetty. Alleen, ze is dood!'

Edward was onmiddellijk helemaal terug op de wereld. De tevredenheid over het portret van mevrouw Beluga en de gloednieuwe bankbiljetten waren even helemaal niet meer van belang.

'Dood? Hè?'

'Kijk zelf maar op het net.'

Edward liep naar zijn computer en logde in.

Andrew noemde het adres van Turners site. 'En dan moet je links, in dat lijstje de derde hebben.'

'O ja, ik zie het. "Nieuws en updates." ' Edward klikte met zijn muis. Er verscheen een zwarte pagina met in het midden een portretje. 'In memoriam Linda Berkeley' stond erboven.

Hij vergat dat hij zijn zoon aan de lijn had. Zijn blik was gefixeerd op het gezicht dat hij ooit zo levendig in potloodlijnen had neergezet.

'En nu weer uit het leven is verdwenen,' zei hij.

'Wat zeg je, pap? Ik dacht dat de lijn dood was,' zei Andrew in de telefoonhoorn.

Edward grinnikte om de woordkeuze van zijn zoon. 'Nee, ik ben alleen erg verbaasd. Dit is wel een ijzingwekkend toeval, hoor.'

'Ja, eng hè?' zei Andrew. 'O, mama roept. Ik moet op-hangen. Daag.' Hij verbrak de verbinding.

Edward zat nog een hele tijd stil voor de monitor. Zijn gedachten wilden niet lang genoeg blijven hangen om zinnen te vormen. Het ene moment zag hij een flits uit een griezelfilm voor zich, het volgende moment herin-nerde hij zich iets uit een boek dat hij gelezen had, of hoorde hij flarden van een lang vergeten gesprek.

Door alles heen en over alles heen hing iets dreigends dat hij niet te pakken kon krijgen, waar hij geen naam voor wist.

Linda en Hetty allebei dood... het was alsof hij in één keer twee vriendinnen was kwijtgeraakt. Het kon bijna geen toeval zijn.

Hij liet zijn muis over het portret gaan en volgde de lij-nen van het gelaat. De muispijl veranderde in een hand-je en Edward klikte onwillekeurig.

Er verscheen een korte levensbeschrijving van Linda Berkeley.

Aan lezen kwam hij niet toe. Toen hij de datum van over-lijden zag, sprong hij op en begon haastig, gejaagd bijna, tussen zijn vellen tekenpapier te zoeken.

Zijn angst, een plotselinge verstikkende angst werd be-waarheid: ook Linda Berkeley was overleden op de dag dat hij het portret had gemaakt.

6

De volgende ochtend schrok Edward overeind met een vreselijke gedachte. Ze is dood. Mevrouw Beluga is dood! Gisteren overleden.

Het was hem niet gelukt in slaap te komen. Tot drie uur was hij in elk geval wakker geweest; hij had de kerkklok horen slaan. Nu was het acht uur, zag hij op de wekker en hij voelde zich doodmoe, maar klaarwakker.

Het eerste wat hij dadelijk moest doen, was Pizza Napoli bellen en vragen of alles in orde was bij de familie Beluga.

Nee, dacht hij, ik moet een krant kopen. Als er iets gebeurd is staat het zeker in een van de roddelkranten. Hij schoot in zijn kleren, deed koffie en water in het koffiezetapparaat en ging de deur uit terwijl het water begon te druppelen.

Het was niet ver naar de dichtstbijzijnde kiosk. Hij kocht er alle ochtendbladen, ook de serieuze en was thuis voordat de koffie was doorgelopen.

Op de bank nam hij alle kranten door. Een halfuur later was hij enigszins opgelucht, maar nog niet gerustgesteld. Geen van de kranten maakte melding van een plotseling overlijden. Er stonden ook geen rouwadvertenties voor mevrouw Beluga in. Maar hoe hij ook hoopte dat hij zich vergiste, zeker wist hij het niet.

Voor de zekerheid bracht hij een uur later, toen de koffie hem helemaal helder gemaakt had, zijn geld naar de bank. Al dat geld, die prachtige stapel biljetten, waarom was hij er niet blij mee? Zolang hij zich kon herinneren was het een van zijn grootste en diepste wensen geweest: geld, gewoon genoeg geld om je geen zorgen meer te hoeven maken. Nu had hij genoeg om een maandje of wat vooruit te kunnen en kon hij er niet eens van genieten.

Toen hij thuiskwam knipperde het lichtje van het antwoordapparaat. Meneer Gualtièry stond op de band. Hij vroeg beleefd maar afgemeten of hij direct teruggebeld kon worden.

Met een licht bevende vinger tikte Edward het nummer van Pizza Napoli in.

De vriendelijke receptioniste verbond hem direct door met meneer Beluga.

'Ach, meneer Benny. Vriendelijk dat u zo snel terugbelt. U heeft het geld ontvangen, mag ik hopen?'

'Ja, ja zeker, ik ben er erg blij mee.'

'Dan hoop ik dat u mijn vrouw ook blij kunt maken. Hoe staat het met haar portret?'

Edward hoorde dat hij trotser klonk dan hij wilde, toen hij vertelde dat het portret klaar was om ingelijst te worden.

'Vanmiddag maak ik een passe-partout en dan moet u maar beslissen wat voor soort lijst u wilt. Als u me dat snel vertelt, hebt u het portret binnen een paar dagen in huis.'

'Beste meneer Benny, daar hoeft u zich geen zorgen over

te maken. Ik zorg zelf wel voor de omlijsting. Kan de koerier het portret vanmiddag ophalen?'

Edward voelde dat hij rood werd. 'Het liefst lever ik het persoonlijk bij u af,' zei hij aarzelend. 'Dat is een soort... Hoe moet ik dat zeggen... Als je een kind afstaat, breng je het ook zelf weg.'

'Aha, ziet u dat zo. Juist, ik begrijp het. Nu, dan zorg ik dat ik vanmiddag bij Napoli ben.'

'En uw vrouw, hoe maakt ze het? Ik bedoel, heeft ze er iets van gemerkt dat ik in de fotostudio was?'

'Niets, meneer Benny. Hoewel ze wel het gevoel had u al eens eerder ontmoet te hebben.' Er klonk een beschaafd lachje aan de andere kant van de lijn. 'Wat zal ze opkijken als ze hoort dat ze oog in oog met een van haar jeugdidolen heeft gestaan. Vanmiddag, twee uur, schikt u dat?'

Natuurlijk schikte het Edward. Alles schikte hem weer. De opluchting dat er met mevrouw Beluga niets aan de hand was, maakte hem licht als een ballon.

Het was natuurlijk ook een belachelijke angst geweest. Belachelijk!

Edward hing op, zette nieuwe koffie en begon zich serieus af te vragen wat hij met het geld ging doen. Sparen? Bewaren voor het moment dat hij het goed kon gebruiken, of het over de balk smijten omdat het zo snel en makkelijk verdiend was?

Ik laat het nog even fijn op de bank staan, besloot hij. Uitgeven kan altijd nog.

Die middag, stipt om twee uur, stond hij in de lift op weg naar meneer Beluga's kantoor. Het portret van mevrouw

Beluga zat opgerold in een plastic koker, die aan een band over zijn schouder hing.

Meneer Beluga, alweer in een keurig kostuum, waarschijnlijk op maat gemaakt door een dure Londense kleermaker, schudde hem hartelijk de hand.

'Ik ben bijzonder benieuwd naar het resultaat van uw werk, meneer Benny. U bent zeer snel, moet ik zeggen. Mijn idee was altijd dat kunstschilders lang en langzaam werken en nooit op tijd zijn met het afleveren van hun opdracht.'

Edward glimlachte bescheiden. 'Ik ben gewend op tijd te werken, meneer Beluga. Dat moet ik wel. Uitgevers vertrouwen erop en... Nou ja, ik moet doorwerken om de touwtjes aan elkaar te knopen.'

Beluga's vriendelijke, belangstellende blik was een uitnodiging om een lange treurzang over het zware leven van een illustrator te beginnen, maar Edward hield zich in.

'Eh... zullen we dan maar?' Meneer Beluga knikte naar de rode koker over Edwards schouder.

'Natuurlijk, graag.'

Edward trok de dop van de koker en haalde het vel aquarelpapier eruit. Hij keek rond naar de plek waar het licht het mooist binnenviel en liep erheen. 'Ik heb tape meegenomen,' zei hij. 'Heeft u bezwaar als ik... het beschadigt de muren absoluut niet.'

'Gaat u beslist uw gang. Hebt u liever dat ik niet kijk, terwijl u het portret ophangt?' Meneer Beluga draaide hem demonstratief de rug toe en terwijl Edward het papier met kleine stukjes tape aan de muur plakte, zei hij: 'Vergeeft u me als ik het mis heb, maar uw belangstelling voor mijn vrouw had iets... Hoe zal ik het zeggen... iets bezorgds. Alsof u niet alleen bang was dat ze u had herkend.'

Edward verstijfde. Een hoek van het papier krulde om en dreigde een kreukel te veroorzaken.

'U moet me maar vergeven, meneer Benny. Ik ben een geoefend luisteraar. Zo doe ik mijn zaken. Door te luisteren als ik niet kijken kan. Ik ben erg goed geworden in stemmen. Had ik het in uw geval mis?'

Edward glimlachte naar het portret dat nu bijna hing. 'Nee, u had het niet mis, maar het is een heel raar verhaal. Ik weet niet of u het wel horen wilt.'

'Als ik dadelijk mag kijken en ik ben tevreden met wat ik zie, dan mag u mij zoveel vreemde verhalen vertellen als u maar wilt.'

'U mag kijken,' zei Edward. Hij deed een paar stappen naar achteren.

De volgende minuut was het stil in het kantoor. Meneer Beluga keek naar het portret en Edward Benny keek naar meneer Beluga. Zijn ogen hadden iets kouds, iets vogelachtigs, zag Edward. Alsof hij een havik was die een prooi bestudeerde. Plotseling leek er uit de verpakking van de zeer beleefde meneer Beluga iets te voorschijn te komen dat... angstaanjagend was.

Hè, niet weer, dacht Edward. Hij verlegde zijn blik naar het portret.

'Meneer Benny,' zei meneer Beluga, 'ik begrijp nu wat mij vrouw zo mooi vond aan uw tekeningen. Ze is een stuk jonger dan ik, natuurlijk. Ik vond het wel grappig dat ze uw tekeningen spaarde. Nu zie ik pas wat zij al die tijd gezien heeft. U hebt een bijzonder talent, meneer Benny. Heel bijzonder.'

'U vindt het mooi?'

'In één woord prachtig. Ik heb u te weinig betaald. Vertelt u mij dadelijk beslist uw rare verhaal. Ik wil eerst nog even kijken.'

Meneer Beluga stond nog een tijdje roerloos voor het portret van zijn vrouw. Toen draaide hij zich met een ruk om en klapte in zijn handen. 'Een glas champagne zou op zijn plaats zijn... maar ik ben bang dat we alleen koffie en thee hebben. Kopje thee?'

'Graag,' zei Edward. Hij voelde zich voor het eerst sinds jaren weer een echte artiest. Een kunstenaar, iemand met talent. Hij wist zeker dat het portret van mevrouw Beluga een nieuwe wereld voor hem ging openen.

7

'En toen heb je het aan hem verteld?' vroeg Andrew. 'Van Hetty en Linda?'

Hij belde zijn vader in de middagpauze van school om te horen hoe het met het portret ging en had het verhaal uitgebreid te horen gekregen. Het portret had hem een flinke duit extra zakgeld opgeleverd, dus hij voelde zich verplicht. En daarbij, het mysterie van de twee dode modellen zorgde ervoor dat hij opeens meer belangstelling voor zijn vaders werk had.

'Jep,' zei zijn vader. 'Misschien had ik dat niet moeten doen. Maar ja, ik was in zo'n geweldig goeie bui... Eindelijk iemand die mijn werk waardeert en er ook nog eens goed voor betaalt...'

Betalen, dacht Andrew. Altijd weer dat betalen. Het is toch ook leuk als iemand het gewoon léúk vindt wat je maakt?

Hij herinnerde zich hoe zijn vader de muur van zijn kamer had beschilderd, lang geleden, toen zijn ouders nog niet gescheiden waren. Hij was er vreselijk blij mee geweest en vroeg zich nu af of dat voor zijn vader genoeg geweest was. Had hij misschien zijn zakgeld moeten aanbieden?

'Ach,' zei hij tegen zichzelf. 'Niet zeuren, als je niet uitkijkt, ga je geld nog net zo belangrijk vinden als papa.'

Ze hadden het trouwens helemaal niet over geld, ze hadden het over de twee gestorven modellen en de portretten die zijn vader van hen gemaakt had.

'Maar pap, hij moet wel gedacht hebben dat je helemaal geschift bent.'

Het was even stil aan de andere kant van de lijn.

'Nee,' zei zijn vader toen. 'Nee, daarvoor was hij veel te vriendelijk en meelevend en... belangstellend. Meneer Beluga was écht verbaasd over mijn verhaal.' Zijn vader was alweer even stil.

'Nou ja, zo'n pizzakoning zal een kunstenaar als ik sowieso wel een beetje getikt vinden.' Hij grinnikte. 'Als hij maar aan veel van zijn collega's vertelt hoe tevreden hij is over die rare kunstenaar.'

'Pap,' zei Andrew, 'ik blijf dit weekend thuis, want ik heb proefwerken. En, eh... vind je het erg als ik volgend weekend ook niet kom?'

'Waarom niet?'

'Ik ga met mama een weekend naar Edinburgh.'

'Zo,' zei zijn vader met opeens een scherp randje in zijn stem. 'Zo, dat is leuk voor je. Heeft mama gespaard, of zo?'

'Dat weet ik niet, pap,' zei Andrew. Hij wist dat hij een fout had gemaakt door eerlijk te zeggen dat ze weggingen. Als hij over veertien dagen weer bij zijn vader logeerde, zou het waarschijnlijk alleen maar gaan over de geldverspilling van een weekendje uit en over hoeveel zijn vader van zijn zuurverdiende geld had meebetaald aan zo'n reisje waar hij zelf niet eens bij geweest was.

Hij probeerde van onderwerp te veranderen. 'Hee, pap, heb je nog op het internet gezocht naar Hetty en...'

'Nee,' zei zijn vader. 'Nee, maar ik ben ook niet zo'n internetgebruiker. Heb jij iets gevonden waar we wat aan hebben?'

'Ik kan nog wel gaan zoeken, pa,' zei Andrew.

'Hmm, dat zou ik wel leuk vinden. En knap ook, trouwens. Jij bent daar toch heel wat beter in dan ik. Vroeger, toen jouw opa en oma nog leefden, moest ik hun videorecorder voor ze instellen. Steeds maar weer. Het lukte ze niet te onthouden hoe het ging. Ik heb dat met internet precies zo.' Hij grinnikte. 'Ik word oud, jongen.'

Andrew beloofde dat hij zou gaan surfen en hing op.

De volgende avonden ging hij een halfuur voordat hij naar bed moest nog even het net op. Hoewel je de hele wereld op het internet kunt vinden, is het vaak een hele klus om de juiste zoekopdracht te geven. Andrew vond niets.

Uit Edinburgh stuurde hij zijn vader een kaartje met de mededeling: 'Nog niets gevonden'. Over hoe gezellig het was met zijn moeder, schreef hij maar niets. Hij wist hoe zijn vader was.

Thuis ging hij onmiddellijk weer verder met zoeken.

De meeste mensen kenden maar één zoekmachine die toevallig in de mode was. Andrew had ontdekt dat je veel meer op het web kon vinden als je de wat minder bekende zoekmachines gebruikte.

Van Hetty Henson en Linda Berkeley vond hij een paar foto's via Diggit.com, verder niets. Nergens meer nieuws over het overlijden van de twee modellen. Drie avonden zocht hij vruchteloos.

Dat hij donderdags de naam 'Isabela Beluga' invoerde was zomaar een ingeving. Tot zijn verbazing verscheen er een lijst van meer dan zestig hits op de naam Beluga. Een flink aantal keer las hij de naam Pizza Napoli, maar Isabella Beluga stond er niet tussen. Vreemd. Hij bekeek de lijst aandachtig. Veel Beluga, nergens Isabella, maar wel weer 'maffia' en 'recherche' en 'onderzoek'. Uiterst interessant, iets vinden wat je niet zoekt.

Hoe was hij bij de georganiseerde misdaad terechtgekomen? Toen hij de zoekterm nog eens bekeek snapte hij waarom mevrouw Beluga niet in de lijst stond: hij had een tikfout gemaakt en was een 'l' vergeten in Isabella. Stom, maar hij had er wel iets interessants voor in de plaats gekregen.

Andrew las tot zijn moeder hem eraan herinnerde dat het morgen gewoon een schooldag was, dat hij zijn hele rantsoen internettikken aan het opmaken was en dat hij onmiddellijk zijn bed in moest.

In het donker van zijn slaapkamer lag hij een paar uur later nog steeds wakker.

Eén woord zong door zijn hoofd als een tophit die op alle zenders wordt gedraaid: maffia, maffia, maffia. De naam Beluga werd net zo vaak gekoppeld aan Pizza Napoli als aan de Engelse afdeling van de Italiaanse maffia.

Andrew had er nooit bij stilgestaan dat de maffia zich ook buiten Italië en Amerika met de misdaad bezighield. Eigenlijk had hij er nooit bij stilgestaan dat de maffia ook buiten de film echt bestond. De stukjes op de site maakten duidelijk dat de maffia iets heel anders was dan iets wat je in een vijfentwintigminutenserie op tv bekeek. Het was echt. De beschuldigingen tegen Paolo Beluga waren echt en serieus. Pizza Napoli was een dekmantel, een soort van nepfirma die alleen maar pizza's bezorgde om de werkelijke activiteiten van het bedrijf te verbergen.

En wat waren die werkelijke activiteiten? Drugshandel, sigarettensmokkel, mensensmokkel, afpersing en nog wat kleinere dingetjes.

Eén van de stukjes op het net beweerde dat Beluga voor alles een apart bedrijfje had. Keurig en officieel: de B.V. Snuifwerk was voor cocaïne, Vof De Overkant bracht illegale vluchtelingen naar Europa. Andrew zag de zinnen en alinea's voor zijn gesloten ogen ronddraaien. Meneer Beluga was een heel gevaarlijke meneer.

Hij viel uiteindelijk in slaap met de gedachte dat hij zijn vader nóóit mocht vertellen wat hij ontdekt had.

De volgende dag, na school, ging hij bij hem langs.

'Ik geloof je niet,' zei Edward. 'Je neemt me in de maling.'
'Wil je het zelf zien, pap?' vroeg Andrew. Hij voelde zich een beetje een sukkel. Van zijn voornemen om zijn vader niets over Paolo Beluga te vertellen, was niets terechtgekomen.

'Pap, die man is een gangster!' was ongeveer het eerste wat hij zei toen hij bij zijn vader binnenkwam en zijn weekendtas in een hoek zwiepte.

Zijn vader had zijn aquarelpotlood neergelegd en hem met een lege blik aangekeken. 'Ook goeiemiddag, leuk dat je er bent. Hoe was het op school, veel huiswerk meegekregen dit weekend?'

'Italiaanse maffia, pap. Ik heb het gisteravond ontdekt. Wil je het zien?'

Zijn vader liep naar het prikbord waar hij zijn opdrachten voor de verschillende uitgeverijen overzichtelijk ophing, met deadlines en voorbeeldschetsjes. Hij trok een pushpin los.

'Kijk?'

Andrew nam het kaartje uit zijn hand. 'Uitnodiging' stond erop. Binnenin werd Edward hartelijk welkom geheten op het verjaardagsfeest van Isabella Beluga dat over twee weken gehouden werd in Le Meridien, een duur hotel in het centrum van de stad.

'Een onderwereldfeest,' zei Andrew met bewondering en enthousiasme in zijn stem. 'Met echte *godfathers* en huurmoordenaars en... Mag ik mee?'

'Een keurig verjaardagsfeest met beschaafde jazzmuziek en hapjes. En met de zakenvrienden van meneer Beluga,' zei zijn vader afgemeten. Natuurlijk mag je niet mee. Dit is een aangelegenheid voor grote mensen. En ik ga er zaken doen. Als de gasten mijn portret zien willen ze ongetwijfeld óók iets van me.'

'Waarom geloof je me nou niet, pap? Zal ik het je laten zien op het net?'

'Meneer Beluga is een heel vriendelijke, uiterst beschaafde man. En een kunstkenner bovendien.'

'Ja, maar dát zegt toch niks?'

'Dat zegt alles,' zei zijn vader afgemeten.

De toon voor het weekend was gezet. Andrew probeerde zijn vader niet meer over te halen naar de artikelen op het web te kijken.

Toen hij 's zondagsmiddags naar huis ging, durfde hij

niet eens om zijn zakgeld te vragen. Na de klaagzang die zijn vader afstak over een uitgeverij waarvoor hij veel werk deed, en die besloten had de tarieven te verlagen, begreep hij dat hij daarover beter een andere keer kon beginnen.

8

Een ongeluk komt nooit alleen. Geluk wel, geluk komt altijd helemaal in zijn eentje en blijft nooit lang. Ongeluk kleeft aan je als klitten in de vacht van een schaap.

Edward dacht dat het de goede kant op zou gaan met hem, maar hij had het volkomen mis.

Voor het verjaardagsfeest van mevrouw Beluga kocht hij een kostuum. Een behoorlijk duur kostuum voor zijn doen. Maar het was een investering, dacht hij.

Hij noemde mevrouw Beluga in gedachten Bella en vond dat hij dat best mocht doen, omdat hij haar op een bijzondere manier had leren kennen en bovendien was ze een fan van hem.

Als hij de zakenvrienden van meneer Beluga ontmoette moest hij er goed uitzien. Niet als een artiest, maar als een succesvol... als een portretteur. Dát was het woord: portretteur.

Edward ontwierp diezelfde middag een logo en liet een stapeltje visitekaartjes drukken bij een bevriende drukker. Hij betaalde met een tekening.

De dag vóór het verjaardagsfeest kwam er een telefoontje van de belastingdienst. Een droge stem kondigde zakelijk aan dat er over twee dagen een controleur zou komen. Of meneer Benny de boekhouding van de laatste vijf jaar bij de hand wilde hebben? Mocht alles in orde zijn, dan had de controleur niet meer dan een ochtend nodig.

Het zweet brak Edward uit. Toen hij nog getrouwd was, had een boekhouder alles bijgehouden. In die tijd hoefde hij alleen zijn handtekening onder de belastingaangifte te zetten. Maar zo'n administrateur kostte geld. Meer dan Edward ervoor overhad. Na de scheiding was hij zijn belastingzaken zelf gaan regelen.

De papieren van de afgelopen vijf jaar zaten in kartonnen dozen. Zijn aangifte deed hij al vier jaar op dezelfde manier: door het formulier van het jaar ervóór over te schijven.

Kon hij alles binnen twee dagen in orde krijgen? En dan kwam zo'n controleur ook nog eens precies op de dag van mevrouw Beluga's feest. Wat een dag om nooit te vergeten zou moeten worden, kreeg bij voorbaat al een enorme domper.

Edward ging op zoek naar de schoenendozen met bonnetjes en begon aan het onbegonnen werk.

De controleur van Hare Majesteits Belastingdienst was een blozende man die hoognodig aan lichaamsbeweging moest gaan doen, omdat een hartaanval op de loer lag.

'Goedemorgen, Eccles, belasting.'

Hij stapte zelfverzekerd het huis binnen, gaf een hand en keek vragend rond naar de kapstok.

Edward had direct een hekel aan hem. Natuurlijk, deze man was gewend om bij wildvreemden in huis te komen,

maar dat hoefde toch niet met zoveel gemak en vanzelf-
sprekendheid?

'Dan moesten we maar eens aan de slag,' zei hij.

De visite duurde niet lang. Meneer Eccles sloeg een blik
op de aan elkaar geniete stapels bonnen en vroeg naar
het kasboek.

Edward had er twee dagen als een razende aan gewerkt
en dat zag de controleur in één oogopslag.

'U heeft wat achterstallige boekhouding bijgewerkt sinds
ons telefoontje, zie ik.'

Edward voelde zich als een schooljongen die betrapt is
op het overschrijven van huiswerk.

'Zozo, tja, dan zal ik maar eens even een steekproef
nemen,' zei Eccles. 'Gaat u beslist door met uw werk,
stoort u zich niet aan mij.'

Edward ging aan zijn tekentafel zitten, pakte een potlood
en maakte een woedende schets van de belastingcontroleur. Met doeltreffende potloodstrepen zette hij de bolle
kop neer, met de driedubbele onderkin en de uitpuilen-
de ogen.

Ik wou dat je ter plekke dood neerviel, dacht hij. Die
wens kwam niet uit. Hij had daar ook niet op gerekend,
maar hij betrapte zich op een vreemde gedachte. De twee
fotomodellen waren overleden vlak nadat hij hen geportretteerd had. Stel je nou voor dat deze vervelende vet-
zak...

'Tja, meneer Benny...' zei Eccles tien minuten later. Hij
stond op.

Edward schoof de karikatuur snel onder een stapel papier en stond ook op.

'Tja... de onregelmatigheden zijn me geheel duidelijk. U

heeft de afgelopen jaren doodgewoon géén boekhouding bijgehouden. Of er van oplichting sprake is, kan ik nu niet zeggen, maar uw belastingaangiften kloppen niet. Dat is valsheid in geschrifte en overtreding van de belastingwet. U moet maar alvast rekening houden met een flinke boete. Ik geef u veertien dagen de tijd om een accountant te zoeken en hem de papieren van de laatste vijf jaar in orde te laten maken. Daarna zullen we van de afgelopen jaren opnieuw vaststellen hoeveel belasting u moet betalen. Natuurlijk komt de boete daarbovenop. U krijgt van de inspecteur nog een schriftelijke bevestiging van de gang van zaken.'

Hij liep naar de gang, pakte zijn jas en was verdwenen.

Edward keek hem na met het gevoel dat hij geraakt was door een moker. Het ging mis. Het ging helemaal mis, hij wist het zeker.

Edward Benny was niet in de beste stemming toen hij om vijf uur 's middags bij hotel Le Meridien aankwam. Het restaurant lag vlak achter Piccadilly, in West End, het dure deel van de stad. Het was een imposant hotel waar je zelfs voor de goedkoopste kamer nog een fortuin moest neerleggen.

Was ik ook maar pizzabakker geworden, dacht hij. Dan kon ik ook feestjes houden in dit soort belachelijk dure tenten.

Even schoten hem de beschuldigingen van zijn zoon te binnen. Van een maffiabaas kon je inderdaad verwachten dat hij zijn feestjes in dit soort omgevingen gaf.

Ach, onzin. Hij liep Le Meridien binnen.

Een portier bracht hem naar het feest, dat gehouden

werd in een prachtig aangeklede zaal die deze middag gevuld was met prachtig aangeklede mannen en vrouwen. Een strijkorkestje speelde beschaafde muziek. Obers gingen rond met dienbladen champagne en exclusieve hapjes.

Edward stond daar in zijn nieuwe kostuum maar voelde zich vreselijk opgelaten en eenzaam. Hij had er spijt van dat hij Andrew niet had meegenomen. Er was hier niemand die hij kende en hij was de enige die niemand kende. Overal stonden groepjes te praten, er werd gelachen, mensen wandelden heen en weer, iedereen leek met elkaar bevriend. Edward kon niet eens zien waar de jarige was en waar hij meneer Beluga zou kunnen vinden, wist hij ook al niet. Intussen waren zijn gedachten meer bij de belastingcontroleur dan bij het feest.

Na twee glazen champagne voelde hij zich iets opgewekter, maar op zijn gemak was hij nog steeds niet. Zou hij maar niet beter naar huis gaan?

Het orkestje zweeg en iedereen draaide zich als op een onuitgesproken bevel naar een vide, een breed balkon dat half over de begane grond hing.

Meneer Beluga verscheen bij de balustrade en hief zijn handen op in een vriendelijk maar toch dwingend verzoek om stilte.

Het geroezemoes stierf weg in een nieuwsgierige stilte.

Edward had de neiging om zijn hand op te steken en even naar meneer Beluga te wuiven, maar die zou hem vast niet zien staan in de menigte van op z'n minst driehonderd mensen.

Het gevoel van eenzaamheid en overbodigheid bleef aan hem knagen.

Zelfs als hij aan iedereen hier een portret wist te slijten, zou hij er nog niet bij horen. Hij was een buitenstaander. Portretteur, wel ja, het klonk prachtig maar stelde niets voor. Hij zou zijn visitekaartjes niet eens durven af te geven, zelfs niet als mensen erom vroegen.

De toespraak die meneer Beluga hield, ging langs hem heen. Hij ving af en toe een flard op die ging over hoeveel Beluga van zijn vrouw hield en hoeveel ze voor hem betekende.

En waar ís ze dan? dacht Edward.

Het antwoord kwam direct. Naast meneer Beluga verscheen de vrouw die ze in de fotostudio gezien hadden, de vrouw die tot leven was gekomen op het aquarelpapier.

Ook op de vide, terwijl ze stralend naast haar echtgenoot stond, had mevrouw Beluga iets onechts over zich, net als destijds in de fotostudio.

Op mijn portret ben je levendiger dan in het echt, dacht Edward tevreden.

'En dan is het nu tijd voor het verjaardagscadeau!' zei meneer Beluga.

Edward spitste zijn oren. Hij was weer een en al aandacht.

'Bella heeft al wat kleinere cadeaus gekregen vandaag. U moet straks beslist even hier op de vide naar Isa's portret komen kijken, dat speciaal voor haar verjaardag is gemaakt door de bekende illustrator Edward Benny. Maar nu het klapstuk van de dag... Bella, lieveling, ik...'

Edward had het gevoel dat de grond onder zijn voeten begon te deinen. Hij vergat zijn omgeving, hij hoorde niets meer en zag niemand meer. Hij was alleen nog bezig overeind te blijven op die wiebelende, golvende vloer.

Een kleiner cadeautje? Gewoon iets grappigs als extra-
tje? Door het bedrag dat hij gekregen had voor het portret had hij onmiddellijk aangenomen dat het het hoofd-
cadeau zou zijn. Hoeveel kon je nog meer uitgeven aan
een verjaardagscadeau?

Toen er om hem heen luid geapplaudisseerd werd en hij
het woord 'Porsche' hoorde rondgaan als het ruisen van
bladeren op de wind, wist hij dat dat het antwoord was:
een Porsche. Een auto van een halfmiljoen.

De omgeving kwam weer een beetje terug, de vloer werd
minder instabiel. Edward stak zijn hand uit naar een glas
champagne. Hij pakte er gewoon maar twee van het
dienblad.

De avond verliep niet een béétje anders dan hij zich had
voorgesteld, nee, hij had zich totaal vergist.

Hoe had het moeten gaan volgens Edward? Onder grote
belangstelling had het portret onthuld moeten worden.
Luid applaus terwijl Bella Beluga het met tranen in haar
ogen bekeek. Ze had moeten zeggen dat de maker van de
aquarel een van haar idolen was. Ze had hem bij zich
moeten laten komen. Daarna zouden alle vrienden en
zakenpartners van meneer Beluga Edward een handje
komen geven. Zó had het moeten gaan. En allemaal hadden ze een afspraak willen maken.

Hoewel hij in de uitnodiging uitdrukkelijk was gevraagd
het diner bij te wonen, besloot Edward dat hij naar huis
ging. Niemand zou hem hier missen, er lette niemand op
hem, behalve een muisgrijze man die hem even aandachtig opnam en zijn blik toen weer langs de mensen
liet glijden.

Nog één glas champagne dan, dacht hij. Het is toch gratis.

Terwijl het strijkkwartet weer speelde dronk hij en keek naar de mensen, die rijker waren dan hij ooit worden zou.

Toen hij het glas leeg had en het met een 'ik ga weg-klap' op een tafeltje gezet had, voelde hij een hand op zijn schouder. Hij draaide zich verrast om en keek in het gezicht van meneer Beluga.

'Meneer Benny, mag ik Edward zeggen? Ik zocht u al. Ik had u eerlijk gezegd boven verwacht om mijn vrouw te feliciteren.'

Edward was van zijn stuk gebracht, maar wist zich te herstellen. 'Ik wilde me niet opdringen,' zei hij. 'Hartelijk gefeliciteerd met uw vrouw.'

'Dank u. Mag ik u aan Isabella voorstellen? Daar verheugt ze zich al de hele dag op.' Meneer Beluga nam hem bij de elleboog en nam hem mee naar een trap die naar de vide leidde. Onderweg had hij glimlachjes en knikjes voor iedereen, schudde hij hier een hand en gaf daar een compliment.

Edward merkte dat hij bewondering voor de man had en dat de beschuldiging waar Andrew mee was aangekomen volkomen flauwekul moest zijn.

Het portret van mevrouw Beluga stond, prachtig ingelijst, op een schildersezel. Een groep mensen bekeek het bewonderend en maakte het ene na het andere compliment. Mevrouw Beluga stond ernaast en nam de loftuitingen met een vriendelijk lachje in ontvangst.

'Lieve, dit is Edward Benny,' zei meneer Beluga toen ze zich door de mensen heen hadden gewurmd.

Isabella Beluga glimlachte verrast en trok toen een gespeeld bestraffend gezicht. 'Ik kén u. Ik heb u gezien in

de fotostudio van Turner! Oh, Paolo, nu snap ik het! Die foto's waren gewoon bedoeld om aan meneer Benny te geven zodat hij me kon portretteren zonder dat ik hoefde te poseren.'

Haar man glimlachte. 'Heel goed, lieve.'

Isabella Beluga keek weer naar Edward. 'Ik vind het zo'n mooi portret, meneer Benny. Ik ben al sinds ik zó klein was dol op uw tekeningen. *Het waterweesje* is een van mijn lievelingsprentenboeken. Nog steeds. Ik ben er zo trots op dat ik nu door u geportretteerd ben!'

Edward voelde zich groeien.

'U blijft toch voor het diner?' vroeg meneer Beluga.

'Natuurlijk, zeker, graag,' zei Edward.

Hij had opeens het gevoel dat hij er helemaal bij hoorde. Hij nam een glaasje champagne en bedacht dat hij nog niet van de hapjes geproefd had.

9

'En, pap?' Andrew zat op de bank en keek zijn vader met fonkelende ogen aan. Had hij gedineerd met maffiakopstukken uit heel Europa? Zat er een nieuwe citybike voor hem in? Had zijn vader een paar vette opdrachten binnengehaald? 'Hadden ze bodyguards en zo?'

'Kom op!' zei zijn vader. 'Er was geen maffiabaas te zien. Het waren keurige, vriendelijke en vooral vrolijke mensen. Bovendien, je denkt toch niet dat de werkelijkheid eruitziet als een film? Zo eentje waarin je de slechteriken meteen herkent omdat ze een zwart pak dragen en een slappe hoed?

Hoe denk jij dat een beroepsmisdadiger eruitziet? Dat is echt niet iemand met een potloodsnorretje en een schouderholster, hoor.'

Hij zuchtte en zijn gezicht bewolkte. 'Beroepsmisdadigers zien er eerder uit als ambtenaren van Hare Majesteits Belastingdienst. Dát zijn pas dieven.'

Andrew, die van de belastingcontrole niets af wist, bekeek zijn vader met argwanende verbazing. De belastingdienst, dat ging over betalen. Bij dat onderwerp moest je altijd heel voorzichtig zijn. Hij probeerde het gesprek weer op het feestje te brengen, maar zijn vader liet zich niet afleiden.

'Zo'n man komt je huis binnen alsof hij er de baas is, die eist een tafel en een stoel en gaat in jóúw persoonlijke papieren snuffelen. Je bent bij wijze van spreken al veroordeeld voordat je een misdaad gepleegd hebt. Meneer Gualtièry was het helemaal met me eens. Pizza Napoli schijnt ook lastiggevallen te worden door de belasting.'

Andrew zag zijn kans. 'Dat is toch de secretaris van meneer Beluga? Was die ook op het feest? Vertel nou.'

'Ik zat naast hem tijdens het diner,' zei zijn vader. 'Moet je je voorstellen, een eetzaal waar driehonderd mensen tegelijk eten opgediend krijgen. En wát voor eten. Er was in de verste verte geen pizza te bekennen. Man...' zijn vader keek dromerig voor zich uit.

'Nou ja, dat was ook al zo'n aardige man, die Gualtièry. Een beetje een grijze muis, weet je wel? Zo iemand die je jarenlang in de bus tegenkomt en met wie je nooit een woord wisselt. Typisch een Spanjaard of zo, met zo'n dun snorretje. Zeg maar: iemand die je kent, zonder dat je hem kent. Ze hebben het blijkbaar over me gehad, want hij kende het verhaal van Hetty en Linda. Ik vroeg hem nog of hij het geen rare gedachte vond...'

Edward dacht terug aan het diner in de grote zaal van Le Meridien. Geroezemoes, geluid van glaswerk en bestek, het ruisen van kleding en de zachte muziek van een pianist die de concertvleugel in de hoek van de zaal bespeelde.

Goed, de champagne had zijn tong losgemaakt en er bubbelden belletjes in zijn hoofd, maar al was hij in een prima bui, hij was keurig gebleven. Geen geklaag over geld of over de belastingen. Ze hadden het over het portret gehad en hoe blij Edward met de opdracht was geweest. Natuurlijk ging het toen toch even over geld, want Edward bedankte uitgebreid voor de snelle betaling en liet tussen neus en lippen door weten dat hij best vaker een portret wilde maken. Of meneer Gualtièry dat had opgepikt, wist Edward niet. De rode wijn die na de witte wijn van het voorgerecht kwam, maakte zijn lippen nog iets losser. Het eten, gekookt door een Franse tweesterrenkok, smaakte geweldig en toen hij een paar keer door iemand aan een andere tafel was gecomplimenteerd voor zijn portret, was hij alle narigheid vergeten. Hij vertelde, zonder er erg in te hebben, over de portretten van Hetty en Linda.

'Een aquarelpotlood als dodelijk wapen,' zei hij glimlachend tegen Gualtièry.

De secretaris glimlachte beleefd terug.

'Maar gelukkig kan dat niet,' zei Edward. 'Anders hadden we hier nu geen verjaardag kunnen vieren.'

Gualtièry bracht het gesprek soepeltjes op een onderwerp dat Edward zich niet meer kon herinneren.

'Zo'n aardige man,' herhaalde Edward.

'En heb je opdrachten binnengehaald?' vroeg Andrew.

Zijn vader schudde zijn hoofd. 'Nog niet,' zei hij, 'maar wat niet is kan nog komen. Ik kan me niet voorstellen dat er helemaal niets meer gebeurt. Een hoop mensen hebben mijn visitekaartje aangenomen, dus...'

Andrew zette de gedachte aan een citybike maar uit zijn hoofd.

Maar ongeluk beklijft en dus hoorde Edward Benny niets meer van vrienden en zakenrelaties van meneer Beluga.

Wel viel de brief van de belastingdienst in de bus. Hij was ondertekend door de Inspecteur van Hare Majesteits Schatkist, F. Brown. Woedend tekende Edward een spotprentje van een man met een enorme bruine snor die zijn mond volpropte met bankbiljetten. Van de belastingdienst hoorde hij verder niets meer en dat baarde hem ook zorgen.

Andrew merkte dat zijn vader somber werd, minder hard werkte en daardoor nóg somberder werd. Langzamer tekenen betekende minder inkomsten en zo daalde Edwards humeur langzaam maar zeker naar het nulpunt en eronder.

De accountant die de boekhouding op orde bracht, kwam met een flinke rekening en een sombere voorspelling: de boete zou wel eens heel hoog kunnen zijn.

'Wat moet ik doen?' vroeg Edward, die het gevoel kreeg dat er boven zijn hoofd een regenwolkje met hem mee dreef.

'Ik kan om uitstel verzoeken,' stelde de accountant voor. 'Dat is een begin.'

De volgende dag werd Edward gebeld door de accountant. 'Uitstel was in orde,' zei hij. 'Maar om een heel bijzondere reden. Francis Brown, de belastinginspecteur, was onverwacht overleden en zijn opvolger moest nog worden ingewerkt. Het kon nog maanden duren voordat Edwards zaak aan de beurt was.'

Hij kon alvast gaan sparen.

Edward keek naar de brief van de belastingdienst alsof het papier spontaan zou ontbranden zodra hij het oppakte. Het tekeningetje van F. Brown, met een mond waar bankbiljetten uitstaken, leek los te komen van het papier. Het tekeningetje zweefde door de lucht en voor Edwards ogen maakte het een vrolijke buiteling.

Edward vond zichzelf een nuchter mens. Natuurlijk, hij had fantasie, want anders kon je geen illustraties maken. Maar fantasie hebben is iets anders dan geloven in de sprookjes en geheimzinnige verhalen die hij illustreerde. Hij geloofde niet echt in het bovennatuurlijke, het buitenaardse of het onmogelijke. Waar hij wel in geloofde, was... waar hij wel in geloofde was de kracht van...

Edward keek weer naar het tekeningetje op de brief en hij geloofde. Het maakte hem doodsbang dat hij geloofde. De pen is machtiger dan het zwaard, was een uitdrukking die Edward wel kende, maar nooit zo had bekeken als nu.

Er zijn twee mogelijkheden, dacht hij. Ofwel ik ben gek en ik word steeds gekker tot ze me in een gesticht opsluiten, ofwel ik heb een gave. Gek was hij niet, dat wist hij zeker. Misschien zou hij binnenkort gek worden, maar nu was hij het nog niet.

Je kon er niet omheen: er was iets met zijn tekeningen. De drie portretten hadden drie doden opgeleverd. Drie mensen die hij niet kende. Drie doden, allemaal vlak nadat hij zijn tekeningen had gemaakt.

Een rilling trok door hem heen, alsof er een ijskoude slang over zijn rug kroop.

Ik mag dit nooit aan iemand vertellen, dacht hij. Nooit. En, dacht hij, ik moet erachter komen of ik werkelijk een gave heb, en ik moet uitproberen hoe hij werkt. Ik moet erachter komen wat ik wél kan, en wat niét.

Uitproberen, daar begon het onmogelijke al. Hoe kon je

een dodelijke gave uitproberen? Dat lukte niet zonder dat er slachtoffers vielen.

De kat van de buren, daar zou ik het op kunnen uitproberen. Of nee, dat zal niet werken, want ik ken dat beest te goed. De doden waren allemaal onbekenden.

Edward merkte dat hij ijsbeerde. Rondjes door de kamer. Zijn linker handpalm deed pijn van de klappen die hij er met z'n rechter op gaf.

Een gave... een gekte...

De rinkelende telefoon riep Edward terug in de werkelijkheid. Nou ja, wat was werkelijkheid nog? Hij nam op.

Een vriendelijke uitgever vertelde hem dat de tekeningen toch echt binnen twee dagen klaar moesten zijn, omdat er anders voor iedereen grote problemen dreigden.

Voor het eerst van zijn leven liet Edward zich niet leiden door geldzorgen. Hij had belangrijker zaken aan zijn hoofd. Ongeluk komt nooit alleen, dus zei Edward dat de tekeningen er niet meer zouden komen. Ze bekeken het maar bij de uitgeverij.

Het telefoontje duurde niet langer dan drie minuten. Toen was Edward een van zijn grootste opdrachtgevers kwijt. Het kon hem niet schelen.

Een merkwaardige vorm van ongeluk dat niet alleen komt, waren de politiecontroles. Edward was nog nooit aangehouden met de auto. In de dagen die volgden, kon hij geen politieauto tegenkomen, of hij moest aan de kant gaan staan en werden zijn papieren uitgebreid gecontroleerd. Het gebeurde zelfs dat hij de kofferbak moest openen om te laten zien wat hij vervoerde.

De agenten waren zakelijk en vriendelijk en wilden nooit zeggen naar wie of wat ze op zoek waren.

Misschien lijkt mijn nummerbord op dat van een beruchte crimineel, dacht hij. Ook op die vraag kreeg hij geen antwoord. Het was te gek om los te lopen. En het irriteerde hem mateloos, maar hij kon er niets tegen beginnen.

Of er vaker politie langs zijn huis kwam, wist Edward niet zeker, maar hij had het rare gevoel dat er steeds meer blauw op straat was. Nieuw beleid van het gemeentebestuur? Werd de buurt waar hij woonde onveiliger? Gek, maar al die agenten die over de stoep kuierden maakten juist dat hij zich onveilig voelde.

Dat, en de knagende gedachten aan zijn gave, maakten het er niet beter op.

10

Andrew vond zijn vader merkwaardig geworden, toen hij de volgende weekenden op bezoek was. Hij wist niet goed wanneer de verandering begonnen was. Het was sluipend gegaan, als een dief in een museum.

De werkkamer was in één week veranderd in een stoffig, onverzorgd hol. Aan het prikbord hingen geen opdrachtbriefjes en schetsen meer.

Het leek een beetje, bedacht hij, of alles stil was komen te staan. Buiten scheen de zon, binnen dwarrelde stof. Op straat ging verkeer langs, er werd ruziegemaakt en kinderen speelden. Maar binnen was het grauw, stil en... een beetje eng.

Er was iets met schaduwen die dieper leken, je hoorde het verkeer minder goed en de ruziënde mensen maakten bijna geen geluid.

Andrew was niet meer op zijn gemak in zijn vaders huis. Hij voelde zich vreemd en onwelkom.

Zijn vaders huis was eigenlijk al nooit zijn thuis geweest. Hij kwam er in de weekenden, twee dagen per week. Natuurlijk had hij zijn eigen kamer, maar dat was altijd een soort logeerkamer geweest. Thuis, bij zijn moeder, wóónde hij, bij zijn vader was hij op visite. Allemaal niet erg, tot zijn vader zo raar begon te doen.

Edward had zich een tijd niet meer geschoren, hij had dikke wallen onder zijn ogen en zijn wangen waren ingevallen. Hij was al nooit dik geweest, maar nu was hij uitgesproken mager.

En dat allemaal in een paar weken, dacht Andrew. Er moet iets heel raars gebeurd zijn, of iets heel verdrietigs. En waarom heeft hij het er met geen woord over?

Zijn vader probeerde steeds minder te doen alsof er niets aan de hand was. Hij had er blijkbaar geen zin in om de schijn op te houden. Maar over wat er aan de hand was, liet hij zich niet uit. Hij was voortdurend in de weer met mappen oud werk dat hij nazocht op...

'Ben je erachter gekomen dat je jaren geleden per ongeluk een echte Rembrandt tussen je spullen hebt opgeborgen?' vroeg hij.

Zijn vader kon er niet eens om lachen. Die mompelde iets onverstaanbaars.

'Jij bent zo goed op het internet,' zei hij. 'Wil jij eens kijken of je iets kunt vinden over Randolph Carter?'

'Wie is dat?'

'Ach, niemand, nou ja, iemand die ik een keer getekend heb toen ik nog op de kunstacademie zat. Ik vraag me af of hij nog leeft.'

'Hee, pap, moet je binnenkort nog gangsters tekenen? Hebben er mensen gebeld?'

Zijn vader schudde zijn hoofd. 'En ik denk ook niet dat ik het doe als ze zouden bellen.'

'Waarom niet? Je geloofde toch niet wat ik over Paolo Beluga vertelde?'

'Dat geloof ik nog steeds niet. Maar daar gaat het niet om.'

Waar het wel om ging, hield Edward voor zich.

Na een halfuur zoeken kon Andrew zijn vader melden dat er over Randolph Carter op het internet niets te vinden was. Oók geen melding van zijn overlijden.

Opgelucht bedacht Edward dat zijn gave dus blijkbaar duidelijke beperkingen had.

'Maar ik heb wel iets anders, pap. Een berichtje over Paolo Beluga op een nieuwssite. Er wordt beweerd dat hij achter een drugslijn zit.'

'Hou toch op!' zei zijn vader geërgerd.

'Maar dat is toch spannend, pap,' zei Andrew.

Zijn vader reageerde niet. Hij keek somber naar een uitzicht dat Andrew niet kon zien.

'Wat een hoop agenten zie je hier trouwens de laatste tijd,' zei Andrew.

Zijn vader knikte zwijgend.

'Ze weten natuurlijk dat je voor de maffia werkt en daarom houden ze je in de gaten.' Hij lachte om zijn eigen grapje.

Edward keek naar Andrew met een blik waarin verbazing en begrip over elkaar heen spoelden als golven in de branding. 'Nee,' zei hij ademloos. 'Nee, dat meen je niet... dat zou...'

Hij maakte zijn zin niet af, zijn gedachte wel: dat zou een heel goede verklaring zijn. Het is idioot, maar het zou kunnen. En ik ga het uitzoeken ook.

Het politiebureau lag aan King's Head Hill. Edward was er vaak langsgekomen, maar er nog nooit binnengegaan.

Nu ging hij met een mengeling van boosheid en zenuwen naar binnen. Hij meldde zich bij een receptioniste die zijn naam in een computer intikte en hem daarna verrast aankeek.

Ze wilde niet eens weten wat de reden van zijn bezoek was, ze gaf een enter en zei: 'Gaat u maar even zitten. Er komt dadelijk iemand voor u.'

Edward had erop gerekend dat hij lang zou moeten wachten. Bezoekjes aan bureaus zijn nooit kort. Ditmaal duurde het niet meer dan vijf minuten.

Een man in een vaalgrijs kostuum verscheen in de hal, liep op Edward af, gaf hem een slap handje en stelde zich voor als rechercheur Cheshire.

Jou ken ik, dacht Edward, terwijl hij achter de politieman aan liep. Ik heb jou eerder gezien.

Pas toen ze tegenover elkaar zaten in een ongezellig klein kantoor, schoot het Edward te binnen. Hij had deze man gezien op de verjaardag van Bella Beluga.

'Prettig dat u ons een bezoekje brengt, meneer Benny,' zei de rechercheur. 'We hadden u al een tijdje op ons lijstje staan. Ik stond zelfs op het punt een afspraak met u te maken.'

'Dus het klopt,' zei Edward. 'Ik word in de gaten gehouden. Al die surveillerende agenten... al die controles van mijn auto.'

'En van uw boeken,' zei de rechercheur.

'Mijn boeken? Dat zijn kinderboeken! Wat kan daar nou aan te controleren zijn! U denkt toch niet echt dat ik iets te maken heb met die twee fotomodellen... U denkt toch niet dat...'

De rechercheur begreep duidelijk niet waar hij het over

had. Hij stak zijn handen in de lucht om Edwards woordenstroom af te breken en zei toen: 'Uw boekhouding, bedoelde ik. Uw belastingaangifte. Iedereen die met Paolo Beluga te maken heeft, wordt door ons in de gaten gehouden.'

De belasting... het was dus de politie die een belastingcontroleur op hem afgestuurd had.

'Waarom in hemelsnaam?'

'Om te kijken of er niet stiekem wordt verdiend. We verdenken meneer Beluga van veel duistere zaken, maar kunnen steeds niet genoeg bewijs vinden. Pizza Napoli is geen echt bedrijf. Je kunt er pizza's bestellen en die krijg je nog keurig thuis ook, maar wat ze écht doen bij dat bedrijf? We weten het niet.'

'Maar ik ben een doodgewone tekenaar, wat heeft het voor zin om mij... te schaduwen?'

Rechercheur Cheshire glimlachte dunnetjes. 'Dat weet je maar nooit van tevoren. Het was trouwens een mooi portret dat u gemaakt heeft. En nu we elkaar dan eindelijk spreken, kunt u mij precies vertellen hoe het allemaal gegaan is vanaf het moment dat u contact met de Beluga's kreeg?'

Edward vertelde het verhaal. Een heel onschuldig verhaal was het, omdat hij over de twee fotomodellen zijn mond hield.

'Alleen uw belastingaangifte klopte niet,' zei rechercheur Cheshire. 'Ze zijn hem nog aan het uitpluizen om te kijken of u niet stiekem erg veel geld van Beluga heeft gekregen.'

'En wat zou dat betekenen?'

'Meneer Benny toch,' zei de rechercheur. 'Dat zou zelfs een kunstenaar als u moeten kunnen bedenken. U zou best bij Beluga in dienst kunnen zijn. Paspoorten en dat soort dingen vervalsen... U zou zelfs wel een huurmoordenaar kunnen zijn.'

Toen hij Edwards gezicht zag, stak hij opnieuw zijn handen op en zei haastig: 'Ik noem maar een voorbeeld. Meneer Benny, veel in deze wereld is niet wat het lijkt.'

Edward knikte.

'Maar u bent, voorzover we nu weten, wél wie u lijkt te zijn. Voor ons prettig. Wat u me daarnet verteld hebt, is duidelijk genoeg. We kunnen u van onze lijst schrappen. Het spijt me dat we u in een lastig parket hebben gebracht.' Hij glimlachte vluchtig. 'Maar belasting betalen is nu eenmaal een vervelende plicht voor ons allemaal. U zult, denk ik, een flinke boete moeten betalen.'

Toen Edward weer op straat stond was de wereld anders geworden. Hij zag er nog precies zo uit als een uur eerder, maar toch was het niet meer de wereld die hij kende. Achter alle bekende dingen school een geheim, iets verborgens, iets crimineels.

Meneer Beluga was dus in werkelijkheid precies wat Andrew gezegd had. Een maffiabaas, een misdadiger, moordenaar, schurk. Maar wat een vriendelijke, gulle en kunstzinnige misdadiger...

Meneer Gualtièry met zijn sierlijke snorretje was geen Spanjaard, zoals hij gedacht had, maar een Italiaan natuurlijk. Ook al een vriendelijke, keurige misdadiger. Geen secretaris, maar hoe noemden ze dat ook alweer in films en boeken... een adjudant. De rechterhand van de peetvader. De termen schoten Edward als vanzelf te binnen. Beluga was de peetvader, Gualtièry zijn adjudant. In deze grote stad speelden zich duizenden zaken af waarmee je als tekenaar nooit te maken kreeg. Georganiseerde misdaad was er één van. De maffia, de Cosa Nostra, Al Capone... noem maar op. Alles wat vroeger achter de kaften van boeken had gezeten en veilig achter het glas van de televisiebuis, was nu naar buiten gekomen, het echte leven in.

Natuurlijk liet zijn gave hem ook nog steeds geen seconde los.

'Ik ben de man van de dodelijke tekeningen,' zei hij spottend tegen zichzelf, maar niet zo spottend dat het woord huurmoordenaar hem weer te binnen schoot.

De wereld is gek geworden, besloot hij en ik ben ook gek geworden. Misschien zou een bezoek aan een psychiater me goed doen.

Maar aan de andere kant: de twee fotomodellen en de belastinginspecteur waren wel degelijk echt overleden en meneer Beluga was wel degelijk echt een maffiabaas.

Toen hij thuiskwam, besloot Edward dat er best iets tegenover alle narigheid van de laatste tijd mocht staan. Het was allemaal de schuld van meneer Paolo Beluga. Zou het helpen als hij Beluga vertelde wat hij bij de politie had gehoord?

Een telefoontje kon geen kwaad.

Hij belde Pizza Napoli en kreeg de vriendelijke receptioniste die hem vertelde dat meneer Beluga tot haar spijt niet aanwezig was, maar dat meneer Gualtièry hem wél te woord kon staan.

'Meneer Gualtièry, goedemiddag. U spreekt met Edward Benny. Ik kom net terug van het politiebureau. Ze hebben me daar een vreemd verhaal verteld.'

Het was even stil aan de andere kant van de lijn, alsof de secretaris moest nadenken.

'Er is veel achterdocht onder de mensen, meneer Benny. Vervelend dat u door de politie bent lastiggevallen, maar ik vind het prettig dat u belt. Dat zegt me dat u ons een warm hart toedraagt, ondanks uw tegenslag. Misschien kunnen we nog iets voor elkaar betekenen. Zullen we een dezer dagen een afspraak maken?'

Edward dacht aan al het geld dat hij was misgelopen door een van zijn grootste opdrachtgevers af te bellen en zei: 'Maar natuurlijk. Graag.'

Die avond liep Edward zijn bankrekeningen na. Het stond er slecht voor met zijn financiën. Opdrachten waren uitgebleven sinds hij de tekeningen die hij beloofd had, niet had gemaakt. Het verbaasde hem eigenlijk niet. Alle uitgevers van kinderboeken kenden elkaar en nieuws ging snel. Waarschijnlijk wist iedereen inmiddels dat je niet meer van Edward Benny op aan kon en dus gingen de tekenopdrachten naar andere illustratoren.

Als er niet snel iets gebeurt, kan ik over twee maanden de huur niet eens meer betalen, dacht hij somber.

11

Na de scheiding had Edward tot zijn verbazing heel snel nieuwe woonruimte gevonden. Een makelaar in appartementen had hem de begane grond van een statig pand in een brede, rustige straat laten zien. Vier kamers, een keuken en een douche. Het was precies wat hij nodig had, en voor een verrassend lage prijs.

'Het huis is in bezit van een oude dame,' zei de makelaar. 'Ze houdt de huren laag, maar in ruil wil ze geen gezeur. Mochten er problemen zijn, lekkende goten of verstopte afvoeren, dan moet u ze zelf oplossen.'

Edward had daar absoluut geen bezwaar tegen gemaakt. Hij woonde nu vijf jaar tot grote tevredenheid in het huis en had nooit meer contact gehad met de makelaar of de verhuurster. De huur betaalde hij keurig elke maand per giro.

Nu lag er een envelop van het makelaarskantoor op de mat. 'Door het stijgende tekort aan huizen... de grote vraag naar woningen... is de huurprijs die u nu betaalt niet meer reëel... we zijn gedwongen de huur te verhogen met...'

Edward liet de brief bijna uit zijn handen glijden. De

huur werd verdubbeld! Met ingang van volgende maand moest hij twee keer zoveel betalen! De schoften! De oplichters!

Hij ging achter zijn werktafel zitten en graaide naar de telefoon.

De telefoniste hoorde aan zijn stem dat er een onplezierig gesprek zou volgen en zei haastig: 'Ik verbind u door met meneer Coffey. Momentje, alstublieft.'

'Coffey,' gromde Edward, terwijl hij luisterde naar het wachtmuziekje en met een potlood speelde. 'Koffie. Ik ken je niet, maar nou en of ik op de koffie kom, Coffey!' Toen hij eindelijk verbinding had spuide hij zijn woede zonder dat de man aan de andere kant van de lijn er een woord tussen kreeg. Al zijn ongenoegen kwam in een woedende spraakwaterval naar buiten.

Het bleef even stil aan de andere kant van de lijn. Daarna begon een vriendelijke, geruststellende mannenstem hem op een alleraardigste manier tegen te spreken.

Edward luisterde terwijl hij zonder te kijken op het papier droedelde. Hij wachtte op het moment dat hij de doodkalme Coffey in de rede kon vallen en verzon nieuwe argumenten.

'...kunt u natuurlijk altijd op zoek naar een goedkopere woning, meneer Benny,' besloot Coffey zijn betoog.

'Een goedkopere woning?' brieste Edward. Met een ferme streep maakte hij zijn tekeningetje af. 'Hoe denkt u dat ik die kan vinden?'

Er klonk een vreemd gesmoord geluid aan de andere kant. Het leek of de telefoon viel en daarna was het stil.

'Hallo? Meneer Coffey? Bent u daar nog?'

Geen antwoord. Edward keek naar zijn tekenpapier en

zag dat hij een mannetje voor een huis had getekend. Een mannetje in zo'n jas die makelaars altijd dragen.

'Meneer Coffey!'

Gedempt lawaai aan de andere kant van de lijn en daarna een stem: 'Meneer Coffey is onwel geworden, wilt u hem later nog even bellen? Dank u.'

Edward legde de telefoon weg en staarde naar zijn tekening. Ongewild, onbedoeld en zonder dat hij het wist, had hij zijn test uitgevoerd. Hij had een makelaar getekend en een makelaar was onwel geworden. En hij zou ongetwijfeld overlijden.

Toen hij een halfuurtje later weer naar het makelaarskantoor belde, vertelde een antwoordapparaat hem dat het kantoor wegens een onvoorziene gebeurtenis gesloten was.

Edward glimlachte bitter. Oké, die Coffey was een onuitstaanbaar kalme man geweest die hem doodleuk zijn huis uitgezet zou hebben, maar zijn dood was nou ook weer niet nodig geweest.

Vreemd genoeg voelde hij wel spijt, maar geen schuld. De plek in zijn lijf waar hij zich anders altijd onprettig voelde als hij iets deed wat niet door de beugel kon, was nu helemaal kalm.

Edward bleef erover piekeren tot hij dacht dat hij zich juist wél schuldig voelde, want waarom zou hij anders zo piekeren? Maar hij kon er niet omheen: geen schuldgevoel. Hij had vier mensen de dood in getekend en toch voelde hij niet meer dan spijt. Spijt op de manier van: nou ja, het is niet anders. En ik kon er niets aan doen tenslotte. Van de twee modellen had hij meer spijt dan van de heren Brown en Coffey. Die laatste twee waren er tenslotte op uit geweest om hem het leven zuur te maken. Overbodig was de dood van Coffey wel, want de huurverhoging was er niet mee van de baan. Edward zou moeten verhuizen, want een verdubbeling van de huur kon hij niet opbrengen.

Maar, dacht hij, in een poging de zaak van de zonnige zijde te bekijken: ik heb connecties bij de maffia. Daar moet iets uit te slepen zijn.

Ik moet mijn gesprek misschien maar eens goed voorbereiden, dacht hij en belde Andrew om te vragen waar de internetpagina's met nieuwtjes over Paolo Beluga te vinden waren.

Andrew was blij dat zijn vader hem eindelijk wilde geloven en beloofde direct een lijstje met url's te mailen.

Hij hoorde in zijn vaders stem iets dat hij al lang niet meer gehoord had: een soort opwinding, iets jongensachtigs dat hem nieuwsgierig maakte. Hij hoopte dat zijn vader met iets leuks bezig was, iets waardoor het huis niet meer zo stoffig en zijn vader niet zo in zichzelf gekeerd zou zijn als hij de volgende keer een weekend kwam.

'Gaan we iets leuks doen, volgend weekend?' vroeg hij.

'Wie weet,' zei zijn vader. 'Maar dat hangt nog van een paar dingen af. We zullen zien.'

Meneer Gualtièry ontving Edward alsof de directiekamer in het Pizza Napoli-gebouw van hem was, in plaats van van meneer Beluga.

Hij was er helemaal thuis, zat achter het bureau alsof hij nooit anders deed en liet een meisje koffie inschenken. Meneer Beluga had dat zelf gedaan, herinnerde Edward zich.

'Mevrouw Beluga was erg verrukt van uw tekening,' zei meneer Gualtièry, die inderdaad uitgesproken Italiaans was, met zijn smalle snorretje en zijn glad achterovergekamde haar.

Zo zou ik een gangster tekenen voor een boek, dacht Edward, terwijl hij in zijn koffie roerde.

'Ik ben blij dat het werk bevalt,' zei hij. 'Het heeft me niet veel geluk gebracht, die opdracht van meneer Beluga. Ik had juist gehoopt dat ik...'

'U heeft visitekaartjes uitgedeeld op mevrouw Isabella's verjaardag. Mag ik raden... U hoopte dat mevrouw Beluga's gasten ook bij u zouden komen voor een portret.'

Edward knikte. 'Maar dat is niet gelukt...'

Meneer Gualtièry glimlachte begripvol. 'Tja...'

'En de laatste tijd,' zei Edward, 'gaat het steeds een beetje verder bergafwaarts.'

'Als wij een kunstgalerie hadden, zouden we u graag geholpen hebben, meneer Benny,' zei Gualtièry. 'Maar ja...'

Edward glimlachte zo vriendelijk terug als maar kon. 'Maar ja, u heeft een pizzaketen.'

'Precies,' zei Gualtièry.

'En u wordt in de gaten gehouden door de politie,' zei Edward.

'Inderdaad,' zei Gualtièry. 'Ik ben bang dat u daarin gelijk hebt...'

Edward knikte. 'Gelukkig heb ik de politie niets kunnen vertellen.' Hij dronk zijn koffiekopje leeg en zette het op het tafeltje.

'Een hele geruststelling,' zei meneer Gualtièry.

'Nou en of.' Edward wist nu opeens hoe het zat met de beleefdheid van meneer Beluga en zijn secretaris. Het was geen échte beleefdheid. Het was om elkaar heen draaien en wachten wie er als eerste zou slaan. Het was niet vriendelijk beleefd, maar ijzig. Het was aardig zijn tot het niet meer nodig was om aardig te zijn. De vriendelijke zinnen, de kopjes koffie en het 'We zijn blij dat u ons een warm hart toedraagt' waren allemaal vermommingen.

Dus zei Edward: 'Ik las op het internet dat er een soort vete ontstaan is tussen meneer Beluga en iemand van het eiland Sicilië die, eh, laat ik het zo zeggen, de kaas van de pizza's probeert te stelen?'

Meneer Gualtièry knikte kort. 'De pizzaoorlog, bedoelt u.'

'Ja, grappige naam, hè?' zei Edward.

'De naam wel, de oorlog niet,' zei meneer Gualtièry. 'De concurrentie probeert een stuk van de markt te veroveren. Goedkopere pizza's, snellere bezorging. Het vervelende is, dat er al niet veel op pizza's verdiend wordt. We moeten het spel keihard spelen.'

Edward had het idee dat je het woord 'pizza's' ook kon vervangen voor 'wapens' of 'drugs'.

'Oorlog is altijd hard,' zei meneer Gualtièry, 'en in deze oorlog dreigen doden te gaan vallen.'

Edward voelde dat het gesprek de kant op ging die hij gehoopt had.

'Is zoiets niet te voorkomen?' vroeg hij. 'Ik bedoel, het kan toch ook zonder bloedvergieten?'

Meneer Gualtièry zuchtte. 'Oorlog zonder bloedvergieten? Dat is wat wij in onze kringen vrede noemen.'

'Maar dan loopt u een grote kans dat u de hele politie van Londen op uw dak krijgt.'

'Ja,' zei meneer Gualtièry. 'Het is bijzonder vervelend. Ook voor meneer Beluga's andere zaken. Ik zal er geen doekjes om winden, meneer Benny. Niet alles wat ons bedrijf doet kan het daglicht velen. Dat geldt ook voor onze Siciliaanse concurrent. Meneer Guiliano's werkzaamheden zijn veel uitgebreider dan de onze en veel gewelddadiger.'

'Ik weet misschien een oplossing,' zei Edward. 'Er is een manier om uw probleem... uit de weg te ruimen.'

Meneer Gualtièry keek hem even doorborend aan alsof hij probeerde te schatten hoe serieus Edward was. 'U? En mag ik vragen hoe u dat zou willen doen?'

'Is het werkelijk zo dat een, zeg maar, eh... pizzaketen uit elkaar valt als de leider er niet meer is?'

Meneer Gualtièry praatte nu behoedzaam. 'Het verdwijnen van de leider zorgt meestal voor enorme onrust in een pizzaketen. Er wordt gevochten om de plek die vrij is gekomen. Voor een pizzaoorlog is er dan geen tijd meer. In ons geval zou het een heel mooie oplossing zijn. Maar ja, onze meneer Guiliano zorgt ervoor dat hij heel goed beschermd wordt. Niemand kan ook maar bij hem in de buurt komen.'

'U zou me kunnen vragen een portret van hem te schilderen,' zei Edward. En terwijl zijn keel droog werd en zijn handpalmen vochtig, dacht hij: ik heb het gedaan. Ik heb het gezegd. Als ze toehappen is er geen weg terug.

Er was een heel bedachtzame blik op meneer Gualtièry's gezicht gekomen. 'Ik weet niet zeker of ik u goed begrijp. Meneer Beluga heeft me wel verteld dat u bang was dat het schilderij van mevrouw Isabella een... Hoe moet ik dat zeggen?'

'Een vervelende bijwerking zou hebben,' vulde Edward hem aan. 'Ik was bezorgd. Maar intussen weet ik precies wat ik doen moet om alles keurig in de hand te houden.'

'Het jammere is, dat u ook voor het tekenen van een portret niet bij meneer Guiliano in de buurt kunt komen. En u wilt uw model altijd eerst in het echt en van dichtbij zien.' Gualtièry stak zijn handen in de lucht in een machteloos gebaar dat wilde zeggen: laten we dit gesprek maar beëindigen.

'Nee, nee, u begrijpt het niet,' zei Edward. 'In dit geval wil ik juist ver uit de buurt van het model blijven. Liefst zo ver mogelijk. Een foto is handig, maar hoeft zelfs niet eens.'

Meneer Gualtièry stond op en stak zijn hand uit. 'Ik vond het een, hoe zal ik dat zeggen, een wonderlijk gesprek. Heel wonderlijk. Meneer Beluga zal er vast net zo over denken.'

Twee minuten later stond Edward buiten, met net zulke lege handen als toen hij naar binnen ging. Geen goedbetaalde opdracht, geen zicht op geld om de huur te betalen. Zijn plan was mislukt en ergens was hij daar een beetje blij om.

Maar de volgende dag bracht de koerier een pakketje.

12

De bel ging toen Edward in ochtendjas somber peinsde over zijn toekomst.

Hij deed de deur op een kiertje en keek in het glimmende vizier van een integraalhelm. Zonder een woord stak de koerier hem een in bruin papier verpakt pakketje toe. Zonder een woord draaide hij zich om en liep naar zijn naast de stoep geparkeerde motor.

Edward keek hem na, hoe hij, razendsnel optrekkend, wegreed en verdween tussen de auto's op de hoofdstraat. In zijn werkkamer, die de laatste tijd zo duister was dat het leek of de gordijnen altijd dicht waren, scheurde hij het grijze pakpapier los. Een tussen twee kartonnetjes verpakte foto kwam te voorschijn, samen met een korte geprinte notitie. 'Bijgaand. Voorstel 30.000 pond. Gaarne antwoord per koerier.'

Op de foto stond een man van ongeveer Edwards leeftijd. Hij zag er alleen veel ouder uit, omdat hij kaal was en een huid vol kraters en kuilen had, overblijfselen van slechtbehandelde jeugdpuistjes.

Edward hoefde niet te raden, dit was meneer Guiliano, de concurrent van Beluga.

Dertigduizend was het bedrag dat Pizza Napoli ervoor overhad om Guiliano uit de weg te ruimen... Het was veel, maar niet genoeg.

Ik moet één geweldige klapper maken, bedacht Edward. De tijd van fooien is voorbij. Geen honderdjes voor tekeningen in vier kleuren, zelfs geen duizendjes meer voor portretten in aquarel. Nu, eindelijk, beheerste hij een kunst die hem kon geven wat hij nooit gekregen had: fatsoenlijke betaling. Of beter nog, méér dan fatsoenlijke betaling.

Natuurlijk zou hij de tekening maken en er nog een goede daad mee doen ook, want een wereld zonder iemand als Guiliano was een betere wereld.

Maar, besloot hij, voor het maken van een betere wereld mag ik dan ook wel beter beloond worden.

Hij zette zijn computer aan en schreef een briefje terug. Korter kon het niet: '50.000'.

De koerier kwam een uur later terug, nam zwijgend de envelop in ontvangst en verdween.

Edward ijsbeerde door zijn werkkamer. Zouden ze toehappen? Zou Beluga 'ja' zeggen? Hoelang ging het duren voor hij antwoord kreeg?

Om de tijd te doden, ging hij het internet op en surfte langs de sites die Andrew hem had opgegeven.

De naam Dino Guiliano kwam heel wat keren voor op de webpagina's. Hij werd ook heel wat keren in één adem genoemd met Paolo Beluga. Na een uurtje surfen was Edward ervan overtuigd dat Pizza Napoli hem zou gaan betalen wat hij had gevraagd.

Toen de bel ging en Edward opendeed, was het inderdaad de zwijgende koerier die hem een envelop gaf.

Nog voordat de voordeur dicht was, had Edward de envelop opengescheurd en het briefje gelezen. Er stonden twee zinnen op: 'In orde. Koerier haalt het werk op zodra u belt.'

Het was een mooie heldere ochtend. Zonlicht speelde door de stoffige ramen van de werkkamer. Edward zag opeens hoe vies zijn kamer was. Er moest hoognodig iets gebeuren. Een frisse wind, door het huis en door zijn leven.

Hij liep naar de keuken, pakte schoonmaakmiddel en een doekje en maakte zijn werkblad grondig schoon. Daarna plakte hij een vel tekenpapier vast en was lang bezig met het uitzoeken van potloden. Hij was daar héél lang mee bezig; zo lang dat het leek of hij helemaal geen potloden uit wilde zoeken.

Edward wist dat hij iets aan het voorbereiden was wat niet deugde. Maar hij ging het wel doen. Hij ging het zeker doen. De pen is sterker dan het zwaard, het potlood is sterker dan de pen, maar hoe dan ook, zwaarden zijn er niet om potloden te slijpen. Maar een wereld zonder iemand als Guiliano was een betere wereld.

De schemering begon al te vallen toen hij de eerste streken op papier zette. Hij had gekozen voor potlood.

Nog nooit was een tekening zo belangrijk voor hem geweest. Zelfs de eerste tekening die in een boek was afgedrukt niet. Edward Benny tekende zoals hij nog nooit getekend had. De twee modellen en de twee vervelende heren waren een ongeluk geweest. Nu was hij bewust en uit eigen vrije wil een tekening aan het maken van iemand die er straks niet meer zou zijn.

'Meneer' Guiliano was een moordenaar, had Edward op het web gelezen. Dus ik maak een portret van een moordenaar, bedacht hij. Maar... eigenlijk... ben ik ook een moordenaar. Het portret dat ik nu ga maken is op twee manieren een portret van een moordenaar, van Guiliano en van mij. Hij duwde de gedachte weg. Onzin. Hij was tekenaar. En tekenaars kunnen veel, maar moorden, nee. Hij zette het potlood op het papier en zette de eerste streek.

Nog nooit had Edward zoiets gemaakt als dit portret. Dit was niet zomaar tekenen, dit was niet gewoon iets scheppen. Wat hij deed was vastbinden met potloodstrepen. Vastbinden, boeien, gevangennemen. Bij iedere streep die hij zette werd het lot van de geportretteerde opnieuw bezegeld en bij de laatste streep, als het portret af was, zou het model er niet meer zijn. Dan was alleen de tekening er nog, levendig alsof hij leefde. Maar de getekende leefde niet meer.

Guiliano wist niet wat er op hem wachtte. Hij had geen idee wat er in de schaduwen op hem loerde. Hij kón dat niet weten. De breedgeschouderde mannen met oordopjes in en schouderholsters onder hun colberts konden beschermen wat ze wilden, het zou niet baten. Onzichtbaar, onhoorbaar, onmerkbaar kwam het einde dichterbij voor meneer Guiliano, maffiabaas te Londen.

Een doodvonnis tekenen. Letterlijker kon het niet.

Edward tekende. Hij was geconcentreerd bezig. De foto had hij niet nodig om zijn model goed op papier te krijgen. Gualtièry had hem de foto niet eens hoeven sturen, maar het was goed om dat geheim te houden. Niemand, behalve Edward zelf, hoefde te weten hoe zijn gave werkte.

De eerste opzet van het portret stond al snel op papier. Het portret had niet de zonnige glans van Bella Beluga's tekening. Er hing iets sombers, iets dreigends over. Edward pakte de felste kleuren uit zijn doos met aquarelpotloden en ging verder.

Terwijl zijn portret meer en meer vorm kreeg, vroeg hij zich af wat nu precies de laatste potloodstreep zou zijn, de streep die het portret áfmaakte.

Van de belastingman en de makelaar had hij snelle droedels gemaakt. Dat was blijkbaar al genoeg. De tekening van Hetty was een uitgebreid portret geweest. Had het ermee te maken hoe belangrijk je was? Kon je iemand die weinig voorstelde met een paar lijnen de dood in helpen en had iemand als Guiliano juist een heleboel werk nodig?

Terwijl hij tekende kwamen er steeds meer vragen. De gave, de gave die hij dacht te kennen werd steeds onduidelijker voor hem.

Halverwege het portret waren er zoveel vragen dat Edward niet meer verder kon tekenen. Hij had voor zijn beurt gepraat. Hij was veel te snel naar Gualtièry toe gegaan. Het bedrag dat hij gevraagd had, was enorm. Stel je voor dat het mislukte, dat er niets met Guiliano gebeurde...

Edward legde zijn potlood neer. Stel je voor dat alles mislukte. Dan zou er misschien op zijn stoep binnenkort ook een breedgeschouderde man staan. Zo eentje die een pistool met geluiddemper had... Een knechtje van Beluga en Gualtièry...

Het idee liet zich niet verjagen. Niet met sussende gedachten, niet door het te negeren.

Edward had zijn potloden weggelegd en ijsbeerde door de werkkamer die, als het allemaal zou gaan zoals het leek, binnenkort niet meer van hem was. Hij zette koffie, bekeek de tekening, dacht aan de gevolgen van alles wat hij gedaan had en durfde niet verder te tekenen.

Er was geen datum afgesproken, schoot hem te binnen. Hij zou nog weken kunnen wachten met het afmaken van het portret. 'Uitstel,' zei hij tegen zichzelf. 'En uitstel is geen afstel. Wat in het vat zit, verzuurt niet. Ik heb A gezegd en me in een wespennest gestoken en dus zal ik B moeten zeggen, al betekent dat niet dat ik er daarmee weer uit kom.

Hoe hij ook dacht, de zaak van alle kanten bekeek, hij zat vast.

Edward pakte zijn potloden en tekende verder, maar niet lang. Opnieuw raasde de onzekerheid door hem heen als verkeer op een snelweg. Het ijsberen begon van voren af aan en eindigde met dezelfde conclusie.

Zo werkte Edward aan het portret. Het was een lange, vermoeiende klus.

Diep in de nacht was het klaar, hij wist dat de volgende potloodstreep er precies één te veel zou zijn. Hij zag het, terwijl hij die laatste streep zette. Voordat hij dat deed, wist hij nog niet dat het de laatste was, maar toen hij er eenmaal stond, was het duidelijk. Zoals een uurwerk klaar is wanneer alle onderdelen erin zitten, was het portret nu af. Een streep erbij was er een te veel. Het zou niets afdoen aan het portret en er niets meer aan toevoegen.

Edward keek op de klok. Het was zeventien minuten over drie in de nacht. Op dit moment zou maffialeider Guiliano op onverklaarbare wijze overlijden.

Edward zakte in een stoel. Hij beefde, voelde zich afwisselend warm en koud en was op slag doodmoe, terwijl hij wist dat hij geen oog zou dichtdoen.

Hij had zijn eerste moord gepleegd.

13

Andrew herkende zijn vader nauwelijks toen hij vrijdags uit school bij hem kwam. Het huis was opgeruimd. De zon scheen weer door de ramen. Stof en vuil waren verdwenen. En zijn vader... die was in de vreemdste stemming die Andrew ooit had meegemaakt.

Hij was uitgelaten alsof hij de loterij had gewonnen, maar hij keek uit zijn ogen als een kind dat snoep heeft gestolen en nu ziek is omdat het te veel heeft zitten schrokken.

Die twee dingen klopten niet met elkaar, maar Andrew kon niet goed plaatsen wat er mis was.

'Andrew, we gaan vanavond uit eten,' zei zijn vader. 'En naar de film, als je zin hebt. Ik wil E.T. nog wel eens een keer zien en volgens mij draait-ie in de Prins Charles op Leicester Square.'

'Heb ik al gezien,' zei Andrew. 'Gaan we pizza eten?'

'Nee...' zei zijn vader. 'Nee, ik dacht meer aan Le Meridien.'

Andrew kende het hotel uit het verhaal van zijn vader. 'Dat is toch veel te duur? Ik heb trouwens ook geen zin om een paar uur op een stoel te moeten zitten. Kunnen we niet naar de Chinees? Ik ben laatst met mama *dim sum* wezen eten bij Chinatown, dat is ook op Leicester.'

'Oké,' zei zijn vader opgewekt. 'Gaan we daarheen.'

'Maar pap, heb je een grote klus of zo? We doen nooit twéé dingen op een avond.'

'En daarom doen we dat vanavond wel.'

Toen Andrew naar zijn kamer liep om z'n weekendtas er neer te zetten, zag hij een krantenberichtje op het prikbord in de werkkamer.

Dreigende onderwereldoorlog van de baan?

Antonio Guiliano overlijdt in nachtclub

In een nachtclub in Soho overleed gisteren Antonio Guiliano, de beruchte bendeleider die dankzij Siciliaanse praktijken de afgelopen jaren een steeds prominentere rol speelde in de Londense onderwereld.

'Hee, pa, waarom hangt dit hier nou?'

Er gleed een blos over zijn vaders gezicht. 'Eh, nou, dat zit zo...'

'Je geloofde me toch niet?' zei Andrew triomfantelijk. 'Ik vroeg me al af waarom je die internetadressen van me wilde hebben. Hè, had ik maar mee gemogen, toen op dat verjaardagsfeest. Misschien had ik wel een paar topcriminelen herkend.'

'Ik kan je vertellen dat ze eruitzagen als doodgewone rijke mensen,' zei zijn vader.

'Ha ha!' riep Andrew. 'Je geeft het dus toe!'

Zijn vader lachte, maar als een boer met kiespijn. Andrew zag opnieuw iets in zijn ogen wat hij niet kende: angst.

Zijn vader was altijd bóós geweest. Boos op slechtbetalende opdrachtgevers. Angst had hij nooit bij hem gemerkt. Hij had opeens het gevoel dat zijn vader iets wilde vergeten door met hem naar een restaurant en een film te gaan.

Maar wat? Wat was er gebeurd?

Ze gingen uit die avond, naar de Chinees en naar een film op Leicester Square.

Ze waren laat thuis. Andrew was moe en ging direct naar bed. In het donker van zijn kamer, terwijl hij wegzakte in zijn slaap, hoorde hij zijn vader heen en weer lopen.

Niet goed, was zijn laatste gedachte. Niet goed.

Zaterdagochtend. Andrew kon uitslapen, maar was al om acht uur wakker. Niet uitgeslapen, maar wel zó wakker, dat in bed blijven geen zin had. Het eerste wat hij deed, was in pyjama naar het prikbord in zijn vaders werkkamer lopen en het krantenartikeltje nog eens bekijken. Het liefst was hij direct het net op gegaan om meer informatie te zoeken, maar zijn vader had een langzame inbelverbinding en elke telefoontik kostte geld. Hij wist dat zijn vader het niet op prijs stelde als er zomaar voor de lol werd geïnternet.

De bel ging. Uit de slaapkamer van zijn vader kwam geen geluid, dus Andrew liep naar de gang en deed open.

Een man in een vuurrood motorpak en met een zwarte integraalhelm op zijn hoofd stak hem een pakje toe.

'Goedemorgen,' zei Andrew, een beetje van zijn stuk gebracht door de imposante verschijning. 'Is dit voor mijn vader?'

De man antwoordde niet, stak het pakketje nog iets verder uit zodat Andrew het in een reflex aannam.

Zonder een woord draaide de man zich om, liep naar een motor die stationair draaiend bij de stoeprand stond, stapte op en reed weg.

Sprakeloos keek Andrew hem na en bestudeerde daarna het pakketje. Er stond niets op. Geen geadresseerde, geen afzender. Hij kreeg het koud, realiseerde zich dat hij in pyjama op de drempel stond en deed de deur dicht.

Het pakje woog niets, was niet dikker dan een tijdschrift, en buigzaam. Misschien wás het wel een tijdschrift, bedacht Andrew zich. Een blad waarvoor zijn vader een illustratie had gemaakt. Hij wist onmiddellijk dat dat niet zo was. Tijdschriften stuurden meestal vijf exemplaren en ze zaten altijd in een envelop met de naam van de uitgever luid en duidelijk erop. Zulke enveloppen kwamen gewoon per post, niet per motorkoerier die net zo anoniem en onherkenbaar was als de spullen die hij rondbracht.

Andrew legde de envelop op tafel, zette de pc aan en speelde een spel tot zijn vader wakker werd. Hij bleef ver onder zijn persoonlijke laagste score.

'Wat is het, pap?' vroeg Andrew toen zijn vader de envelop opende en er een snelle blik in wierp.

'O, niks bijzonders, opdrachtje.'

'Wat een engerd, die het kwam brengen, zeg.'

'O, de gehelmde motorrijder. Ja...' Het klonk ongeïnteresseerd, routineus.

Andrew zag opnieuw die schuldige blik in zijn vaders ogen. 'Maar wat is het dan?'

'Speciale bestelling.'

'Ja, dat snap ik ook, maar wat zit erín?'

'Ik moet een tekening maken.'

'Weer een portret?' vroeg Andrew opgewonden. Hij was blij dat hij iets kon vragen over zijn vaders plan om rijk te worden met portretten maken van rijke mensen die waarschijnlijk ook maffiosi waren.

'Hmm? Nee, nee hoor, gewoon een klusje.'

'Zal ik het op het prikbord hangen?'

Zijn vader keek hem aan met een duidelijke vlaag van paniek in zijn ogen. 'Nee, nee, dat hoeft niet. Dit is zo'n klein klusje, dat gaat gewoon in de la.'

Hij stopte de envelop in de bovenste lade van zijn bureau, de lade met het slotje.

Andrew wist waar de reservesleutel lag. Zondagochtend vroeg maakte hij de la van zijn vader open en schudde de inhoud van de envelop op het bureaublad. Tussen twee kartonnetjes zat een vage zwartwitfoto van een kale man. Meer dan dat hij kaal was kon je niet van hem zien. De foto was van enorme afstand gemaakt en onscherp.

Een briefje, gemaakt op een computer en uitgeprint meldde: 'Geen duidelijke foto beschikbaar. Astros Mastroiani. 50.000.' Meer was er niet.

Andrew prentte de naam Astros Mastroiani in zijn geheugen en stopte alles terug in de envelop.

Zag zijn vader de schuldige blik in zijn ogen, zoals hij die bij hém had gezien? De rest van de zondag was ongemakkelijk. Het leek of ze allebei wilden dat Andrew vertrok, maar dat niet wilden toegeven.

Toen Andrew om drie uur 's middags wegging met de smoes van veel huiswerk, kreeg hij ongevraagd een enorme zakgeldverhoging.

'Je hebt het verdiend,' zei zijn vader. 'En nu ik tegenwoordig een werkster kan betalen, heb ik meer tijd om te werken, dus hou ik meer geld over. Vandaar het etentje en de bioscoop. En vandaar een extra dosis zakgeld.'

Andrew geloofde het niet. Hij had het gevoel dat hij extra geld kreeg om zijn mond te houden. Waarover, wist hij niet, maar hij vermoedde dat het iets met de koerier van de vorige dag te maken had.

14

Edward was inderdaad blij dat Andrew vroeg naar huis ging. Hij bekeek de foto uitgebreid en kon er niet meer van maken dan een kale man, gefotografeerd van grote afstand. De naam had hij nooit eerder gehoord. Hinderde allemaal niet, Hetty en Linda had hij nooit gezien – in elk geval niet bewust – voordat hij ze tekende. Hij had geen idee wat deze man met Pizza Napoli te maken had en hij wilde het niet weten ook. Ditmaal durfde hij niet over de prijs te onderhandelen. Beluga en Gualtièry waren bereid het hoogste bedrag te geven en Edward had geen behoefte om de deksel op zijn neus te krijgen. Bovendien: in één maand verdienen wat hij normaal in een jaar bij lange na niet haalde, was een goede reden om niet te zeuren. Langzaamaan, dan breekt het lijntje niet. Hij besloot iets met acrylverf te doen, pakte zijn spullen en ging aan het werk.

Terwijl hij het portret maakte, voornamelijk uit zijn hoofd omdat de foto hem niet veel hielp, bedacht hij dat er tientallen technieken waren om portretten te maken, honderden stijlen en materialen. Hij kon ieder portret op een andere manier maken.

Het zou een leuke en nuttige oefening zijn om te kijken hoeveel stijlen en materialen hij nou eigenlijk beheerste. Zo zou het maken van portretten een extra uitdaging zijn.

Hij wist wel dat hij smoezen stond te verzinnen. Dat hij niet wilde nadenken over wat hij werkelijk aan het doen was.

Afleidingsmanoeuvres. Of je iemand vermoordde met een mes of een pistool, potlood of olieverf, het bleef moord.

Natuurlijk had Edward zich al uitputtend afgevraagd wat er aan de hand was, hoe zijn gave werkte. Bij sommige geloven is het verboden om een foto of tekening van je te laten maken omdat je ziel in die afbeelding zou komen te zitten. De maker zou je ziel zo in zijn macht krijgen. Hadden de portretten daarmee te maken, klopte dat domweg? Edward kon het zich niet voorstellen, maar iedere religie heeft een kern van waarheid, dus het zou ermee te maken kunnen hebben. Telepathie was een andere mogelijkheid, maar daar kwam hij niet veel verder mee. Gedachteoverdracht is nog heel iets anders dan op afstand iemand van het leven beroven. Iemand die je niet kent, van wiens bestaan je nooit hebt af geweten.

Edward wist het niet. Was er een derde mogelijkheid, iets bovennatuurlijks waardoor hij een dodelijke impuls stuurde via de portretten? De modellen hadden de portretten nooit gezien, dus dat kon het ook niet zijn.

Bijna zonder na te denken schilderde hij het portret van een kale man.

Een paar uur later, toen hij bijna klaar was, zag hij hoe ongeïnspireerd zijn schilderij was en als een donderslag bij heldere hemel begreep hij dat dít portret niets zou doen. Alle voorgaande keren had hij zijn hart en ziel in zijn werk gelegd. Bij Linda en Hetty was het de liefde voor zijn werk geweest, bij de belastingman en de makelaar zijn woede, bij de dode maffiabaas zijn aandacht.

Hij legde het portret opzij, pakte de foto en bekeek hem met al zijn aandacht. Een onscherpe foto is als een onaf gezicht, een mens dat wel bestaat maar er nog niet helemaal af is. Een onscherpe foto vraagt erom scherp te worden, afgemaakt te worden.

Edward pakte een leeg vel en begon opnieuw. Ditmaal kreeg het portret de levendigheid, de kleuren en de lijnen die het nodig had. Toen Edward klaar was, stond de vage kale man levensecht op papier. Ze keken elkaar aan, de kunstenaar en zijn schepping, alsof ze elkaar kenden. Alsof het portret Edward opnieuw bedankte dat het tot leven gekomen was. Hoeveel wranger kon het worden?

Edward voelde zich alsof hij twee dagen aan een stuk had gewerkt. 'Niet meer piekeren,' zei hij tegen zichzelf. 'De een z'n dood, is de ander z'n brood.'

Doodmoe ging hij naar bed. Die nacht sliep hij diep, heel diep en droomde hij van gezichten die gekreukt op een gierende wind door de straat werden geblazen. Hij moest erachteraan hollen maar het lukte hem niet om ze allemaal te pakken te krijgen.

Edward belde halverwege de ochtend naar Pizza Napoli. Meneer Beluga en meneer Gualtièry waren allebei niet op de zaak, maar toen hij vroeg naar de koerier, begreep de receptioniste onmiddellijk dat hij geen pizzakoerier bedoelde.

'Ik stuur hem bij u langs, meneer Benny. Binnen het uur zal hij er zijn.'

Het klopte helemaal. Drie kwartier later ging de bel. Zwijgend nam de koerier de kartonnen koker met het portret in ontvangst en overhandigde hem een dikke bruine envelop.

Aan de eettafel maakte Edward de envelop open. Het waren gloednieuwe bankbiljetten. Knisperende bankbiljetten, zouden ze in de film zeggen. Het bedrag klopte, natuurlijk.

Edward had allang besloten wat hij met het geld zou doen: hij ging het keurig naar de bank brengen en zou het keurig doorgeven aan de accountant die het keurig bij de belasting zou opgeven. Edward kende de verhalen van bankrovers die tegen de lamp liepen omdat ze plotseling in grote gloednieuwe auto's reden, terwijl ze een uitkering hadden. Hij had besloten erg verstandig te zijn met zijn geld. De ene keer zou hij er belasting over betalen, de andere keer zou hij het geld ergens wegbergen en er zeker niet aankomen, voorlopig.

Hij wist dat hij door de belasting in de gaten gehouden werd en hij was niet zo dom dat hij niet van zijn fouten wilde leren.

Hij borg het geld op in een lade van zijn nachtkastje en ging weer naar bed, want hij was nog steeds bekaf.

Andrew was op zoek gegaan naar Astros Mastroiani. De naam kwam niet veel voor op internet, maar wat hij vond maakte genoeg duidelijk van wat hij weten wilde. Mastroiani was een Siciliaan die zijn halve leven in de gevangenis had gezeten, verdacht van wapenhandel.

Toen hij na drie maanden vrijheid opnieuw werd opgepakt, besloot hij met de politie samen te werken. Sindsdien had hij de Italiaanse politie al heel wat geheimen van de maffia verteld.

Mastroiani kon geen vriend van meneer Beluga zijn, zoveel was Andrew wel duidelijk. Waarom wilde de pizza- en maffiakoning dan een portret van hem hebben? Want dat het daarom ging, was logisch. Een verklikker die beloond wordt met een kunstwerk? Hij kon het zich niet voorstellen.

Raadsels, raadsels. Het onaangename gevoel dat er met zijn vader iets helemaal mis was, liet hem niet met rust. Goed, de verwaarlozing van het huis was een halt toegeroepen. Zijn vader had een werkster genomen. Een werkster! Dat was op z'n minst verdacht. Het extra zakgeld kon hij natuurlijk prima gebruiken, maar hij vertrouwde het niet.

Het was begonnen op de dag dat ze in die fotostudio waren, of nee, het was natuurlijk begonnen met het portret van Hetty. Zou het daarmee te maken hebben? Was zijn vader nog steeds van slag door de ontdekking dat hij iemand getekend had die echt bestond, maar inmiddels was overleden?

Andrew wist het zeker. Hij wou dat hij er met zijn moeder over kon praten, maar die was meteen een paar dagen chagrijnig als hij over zijn vader begon.

Het volgende weekend ontdekte hij dat de envelop niet meer in de la lag. Het prikbord was bezaaid met pushpins, maar er hing niets aan. Andrew vond dat lege prikbord op de een of andere manier nog een voorbeeld van dat het met zijn vader niet goed ging. Een werkster, veel geld voor portretten van mensen die met de maffia te maken hadden... er wrong iets.

Die avond, zijn vader had magnetronmaaltijden warm gemaakt, keken ze tv.

'Heb je helemaal niks gedaan deze week?' vroeg Andrew. 'Geen portretten getekend?'

Zijn vader schokschouderde. 'Nee, ik hoef me niet meer zo druk te maken. Meneer Beluga heeft ervoor gezorgd dat ik het rustiger aan kan doen.'

'En een werkster.'

'Ja, en een werkster. Laten we het nou eens niet over mijn werk hebben, maar over jouw school. Wanneer heb je weer proefwerkweek?'

De afleidingsmanoeuvre werkte, maar niet écht. Andrew wist dat zijn vader er nooit moe van werd om over zijn werk te praten of te mopperen over uitgevers.

'Hee, maar pap, dat krantenknipseltje op je prikbord, vorige keer. Eh... Mastrioniano.'

Als een bloedhond die toehapt, zei zijn vader scherp: 'Mastroiani hing niet op het prikbord!'

'O,' zei Andrew, 'nou ja, hoe-ie heette, Goulianano of zo... Had je die getekend?' Hij hoorde zelf de onafgemaakte tweede helft van de vraag: is hij daarom dood?

Zijn vader keek hem gemelijk aan. 'Dat is alweer veertien dagen geleden,' zei hij. 'Ik had het stukje uitgeknipt over Guiliano omdat, eh, nou ja... het is toch de concurrent van mijn nieuwe opdrachtgever.'

'O...' zei Andrew, 'dus dat is hij? Je nieuwe opdrachtgever?'

'Ach,' zei zijn vader, 'dat weet ik nog helemaal niet. We

moeten het maar zien. Nou, vertel. Hoe staat het met je proefwerken?'
Andrew vertelde.

Zaterdagochtend heel vroeg ging hij op zoek in zijn vaders werkkamer. In de afgesloten lade vond hij een van internet gehaalde print van een Italiaanse site. Boven aan de pagina stond een portretje van de man die hij onmiddellijk herkende van de vage en onscherpe foto die de koerier had afgeleverd. De tekst begreep hij natuurlijk niet, maar het woord *morto* en de datum erna waren duidelijk genoeg.
Mastroiani was dood.
In het vroege zonlicht dat door de vitrage sijpelde, kreeg Andrew het opeens bitter koud. Het was of zijn gedachten handjes waren die naar puzzelstukjes graaiden en van al die losse flarden een duidelijk beeld maakten. Andrew geloofde het niet, hij wílde het niet geloven natuurlijk, maar een vreselijk vermoeden kreeg vorm.
'Pap,' zei hij 's avonds. 'Pap... dat kán toch niet, dat je mensen tekent en dat die dan allemaal doodgaan? Dat kan toch niet?'
'Nee,' zei zijn vader. 'Dat kan niet.'
Van de klank in zijn vaders stem kreeg Andrew opnieuw de rillingen.

Het leek of het ongeluk haar interesse in Edward Benny verloren had. Alles leek weer beter te gaan. Veel beter, zelfs. Er was weinig politie meer op straat, viel Edward op. Hij besloot dat het een teken was: de politie was niet meer in hem geïnteresseerd.

De dood van Mastroiani trok weinig aandacht. Hij overleed zonder dat hij de politie veel had kunnen vertellen
over de Siciliaanse maffia. De Italiaanse kranten meld-
den het overlijden in korte artikeltjes. In de rest van Europa trok het allemaal weinig aandacht. Ook al fijn.

Meneer Beluga moest wel bijzonder blij geweest zijn met
het portret, want behalve het afgesproken bedrag, kreeg
Edward ook een krat van de duurste champagne. Voor
het eerst werd er iets afgeleverd in een normale bestelbus,
in plaats van door de zwijgende zwarte motorkoerier.

Edward hoefde zich inmiddels geen zorgen meer te
maken. Met het makelaarskantoor waar de zo plotseling
overleden meneer Coffey werkte, maakte hij een mooie
afspraak. De huur zou stukje bij beetje worden ver-
hoogd. Elke maand een beetje erbij, tot hij het hele bedrag betaalde. Daarna zou de huur in elk geval niet verder omhooggaan dan normaal.

Het was een heel prettige regeling.

Toch kon hij er niet echt van genieten. Onrust kroop in
hem rond als een tijger in een kooi. Het geld was welkom, het werk dat hij ervoor moest doen was leuk, maar
het déúgde niet. Hij mocht dit niet doen!

Natuurlijk deed hij het toch weer toen de zwarte koerier
hem een envelop met een foto overhandigde en de
mededeling 'Mario Moralis 60.000'. Zijn beloning ging
omhoog, zonder dat hij er zelf over hoefde te beginnen!

Edward maakte het portret: een doodshoofdgezicht met
een ringbaardje en priemende ogen van een eng soort
blauw.

Hij gebruikte er pastelkrijt voor, zachte kleuren waarin je
veel kon vegen, zodat het gezicht iets vriendelijks kreeg.

Vriendelijker dan de foto in elk geval. Om het portret iets extra vriendelijks te geven, tekende hij een achtergrond met palmbomen, een strand op Kreta waar hij ooit geweest was.

Een naam wist hij niet, kranten en internet konden hem ook niet vertellen wie de man was en of hij inderdaad was overleden, maar de koerier bracht een envelop met geld, dus Edward nam maar aan dat hij zijn werk goed gedaan had.

15

Een ongeluk komt nooit alleen. Het neemt af en toe zijn vriendje 'tijdelijk geluk' mee. Je hebt nog niet bedacht dat het blijkbaar weer goed met je gaat, of het tijdelijke geluk duikt opzij, terwijl ongeluk met een enorme vuist recht op je neus slaat. En omdat ongeluk nou eenmaal ongeluk is, wacht het een hele tijd. Hoe langer je denkt dat het geluk mét je is, hoe harder de klap van het ongeluk aankomt.

Edward kreeg het druk. Het werd juli, Andrew ging een maand met zijn moeder kamperen en de firma Pizza Napoli was blijkbaar in allerlei duistere zaken verwikkeld, want Andrew moest vijf portretten maken. Vier mannen en één vrouw, allemaal naamloos, maar allemaal veel geld waard.

Het onderzoek van de belastingdienst werd afgerond en hij kreeg een boete die er niet om loog. Het geld van twee portretten ging direct naar Hare Majesteits Schatkist. De accountant die alles regelde, stuurde een gepeperde rekening die Edward gelukkig moeiteloos kon betalen. Hij deed het in één keer, niet in termijnen, zoals de belastingdienst hem had aangeboden. Het bedrag in twaalf kleine stukken gehakt, elke maand een beetje betalen. Nee, dacht Edward, ik wil van ze af. Ik wil zeker weten dat ze me niet meer in de gaten houden.

Hij had nu meer verdiend dan in de afgelopen drie jaar. Het prachtige plan om alle mogelijke stijlen en technieken te gebruiken kwam niet helemaal van de grond. Meestal vond hij het te veel werk om iets ingewikkelds te maken van een model dat de tekening nooit meer te zien zou krijgen, omdat het dood was zodra hij het portret voltooide. Wat hij wel deed, was iedere geportretteerde in een decor zetten, bijna alsof het model dáár was getekend. De ene keer was het bij de Londen Tower, een andere keer voor de scheve toren van Pisa. Het gaf de tekeningen net iets artistieks.

Edward begon te dromen. Vervelende dromen van mensen zonder gezicht, die door helverlichte straten doolden en hem riepen. 'Edward Benny! Vertel ons wie we zijn! Geef ons een naam!'

Hij werd dan bezweet wakker, helemaal de weg kwijt, wist niet eens dat hij in zijn eigen slaapkamer lag. Natuurlijk wist hij waar de dromen vandaan kwamen, maar hij negeerde ze.

Vreemd genoeg had hij met Pizza Napoli helemaal geen contact meer. Meneer Gualtièry noch meneer Beluga liet iets van zich horen. Als hij een enkele keer naar het bedrijf belde, vertelde de receptioniste hem vriendelijk maar afhoudend dat de heren Beluga en Gualtièry jammer genoeg allebei in bespreking waren of afwezig, en dat ze geen idee had wanneer de twee weer bereikbaar zouden zijn. Het werd Edward duidelijk: opdrachten voor Napoli uitvoeren betekende niet dat je contact met de hoogste regionen kon hebben.

Het kostte Edward een poosje voor hij begreep waarom. Toen Beluga hem vroeg een portret van zijn vrouw te maken, was hij een kunstenaar geweest. Met zo iemand wilde hij graag een afspraak maken. Inmiddels was hij veranderd in een moordenaar en met zulk soort wilde niemand contact hebben. Edward was de vuilnisman van de maffia geworden. Hij hoorde thuis in de goot, bij het gespuis en nergens anders.

Hij probeerde zich er niets van aan te trekken, maar het liet hem niet los. Want wie waren hier nou eigenlijk de echte moordenaars? Wie waren de criminelen? De keurige meneer Beluga en zijn adjudant! Zij waren de opdrachtgevers die met hun duistere praktijken voor heel wat bloedvergieten zorgden. Bloedvergieten en onrust. Er heerste veel onrust in de onderwereld. Kleinere en grotere artikelen en opvallend grote overlijdensadvertenties verschenen in de kranten. De namen in de rouwadvertenties kende Edward allemaal: hij had ze gelezen op de kaartjes bij de foto's die de koerier bracht. De krantenartikeltjes gaven Edward meestal wel een idee waarom de heren Beluga en Gualtièry van de overledene af wilden.

De ene keer bleek de man die Edward had getekend het financiële brein achter een drugsdeal te zijn geweest, de andere keer was het iemand die grote partijen gestolen auto's naar Oost-Europa smokkelde. Mensenhandelaars, zaten er ook bij en duistere zakenlieden. Het gaf een aardig beeld van waar Pizza Napoli zich zoal mee bezighield.

Na het twaalfde portret in vier maanden, begonnen de dromen erger te worden. Ze veranderden in nachtmerries. De mensen zonder gezicht stonden nu binnen en Edward voelde zich gedwongen hun gezichten te geven. Hij begon een afkeer van tekenen te krijgen. De plannen voor een tentoonstelling van portretten die hij voor zijn plezier wilde maken liet hij varen, want hij kon zich er niet toe zetten voor zijn plezier te gaan tekenen. De lol was er voor hem af.

Het werd augustus, zomervakantie voor iedereen, maar niet voor Edward. Om de een of andere reden was de zomer hoogseizoen in het criminele circuit, of misschien was Pizza Napoli in een wereldoorlog verwikkeld.

De foto's die hij kreeg waren nu eens van een Chinees, dan weer van een Slavisch type, een Zuid-Europeaan, of een Rus.

Voor zijn bankrekening was het wel erg fijn dat er veel werk binnenkwam, maar vreemd genoeg was geld een schrale troost. Wat Edward het liefste wilde, was met iemand praten. Praten over zijn geweten en zijn gave en iemand hardop de vraag stellen of hij de eerste en de enige ter wereld was, die kon doden met een simpele potloodlijn. Hij deed er onderzoek naar, natuurlijk, maar hij had nog steeds niemand gevonden die iets deed wat ook maar in de buurt van zijn gave lag. Mysterieuze overlijdensgevallen genoeg, ook onder mensen die misschien met de onderwereld te maken hadden. Misschien, misschien niet. Hoe kon je vaststellen dat iemand op onverklaarbare wijze om het leven was gebracht?

Mij vinden ze ook nooit, dacht Edward. Niemand, behalve Beluga en Gualtièry, weten wat ik kan en ik neem aan dat zij hun mond zullen houden. Waarom zouden ze tenslotte hun geheime wapen onthullen?

Hij nam het aan, maar zeker weten deed hij het niet. Hij wist eigenlijk van niets en die gedachte begon te steken als een vlooienbeet. Stel je voor dat de twee gangsters hun mond voorbij praatten, op een feestje of zo, waar het werd opgevangen door iemand die dacht met die informatie wel wat geld te kunnen verdienen? Stel je voor dat er op een dag iemand vanuit een voorbijrijdende auto een geweer op hem richtte? Of dat er iemand zijn huis binnendrong, hem vermoordde in zijn slaap?

Hij probeerde zich te herinneren of hij opvallend vaak dezelfde mensen in de straat zag, zoals destijds toen de politie hem in de gaten hield. En de belastingdienst, stel je voor dat die zich verbaasde over het geld dat hij plotseling verdiende. Er loerde aan alle kanten gevaar, als je erbij stilstond. En Edward begon erbij stil te staan.

Andrew kwam een middagje langs om over zijn vakantie te vertellen en te melden dat hij nog twee weken bij zijn grootouders in het noorden van het land ging logeren. Edward hoorde de vakantieverhalen aan, maar ze drongen niet tot hem door en hij merkte dat hij opgelucht was omdat Andrew er twee weken niet zou zijn.

Stel je voor dat iemand van plan was hem iets aan te doen terwijl zijn zoon bij hem was!

Waarom had hij de gevolgen van zijn aanbod aan Beluga niet eerder doordacht voordat hij zijn grote mond opentrok?

'Ik ga even mijn bergschoenen pakken, pap,' zei Andrew. 'Da's handig voor bij opa en oma.'

'Best, jongen, je weet waar ze staan.'

Andrew liep naar de gang en trok een vrijwel onzichtbaar luik open, waaronder een kleine kelder lag die gebruikt werd als opslagplaats. Het luik was precies één marmeren tegel groot en als je niet wist welke de losse tegel was, vond je hem niet ook. Andrew had altijd gevonden dat de kelder een perfecte verstopplaats was. Jammer dat hij te oud was om schatten te begraven.

Hij vond zijn schoenen, hij scharrelde wat in de dozen die beneden stonden en kwam met een bedrukt gezicht terug bij zijn vader. Die merkte nergens iets van, die was met zijn gedachten in een heel andere wereld.

Ze namen afscheid, Edward zei nog iets als 'Doe de groeten aan je grootouders', en Andrew ging naar huis met een hoofd vol vragen. Wat hij gevonden had in de kelder was niets meer of minder dan een schat.

Toen Andrew weer naar school moest, belde Edward hem op. Hij deed dat zo min mogelijk, bellen met zijn zoon, omdat er altijd een kans was dat hij zijn ex aan de lijn kreeg.

'Andrew, het is denk ik beter als we onze weekendjes samen een poosje opschorten.'

'Hoezo, pap?'

'Eh, dat is lastig uit te leggen. Nogal ingewikkeld, eigenlijk. Ik zit met iets waar ik een week of drie vier in de weekends mee bezig ben. Dus als mama het niet erg vindt...'

'Moet ik het aan mama vragen? Ze zit in haar werkkamertje.'

'Ja, overleg maar en bel me dan terug, oké? We kunnen

wel iets anders afspreken...' Edward probeerde te klinken alsof hij er al over had nagedacht. 'Ik kan je een paar keer van school ophalen en dan...' De gedachte schoot bij hem binnen als een kikker in een vijver. 'En dan help je me mee een nieuwe auto uit te zoeken.'

'Wat? Ga je een nieuwe auto kopen?'

'Ja... daar was ik al een tijdje aan toe.'

'Hee, te gek, pap! Wanneer?'

'Zal ik je woensdag van school ophalen?'

'Ja, te gek! Weet je al wat voor auto?'

'Een Europese, dacht ik.'

'Japanners zijn technisch veel beter, pap.'

'Duik jij je internet maar op en zoek iets waarvan je denkt dat ik het wil hebben, goed?'

'Dacht ik wel, pa.'

De nachtmerries werden erger. Zodra hij in slaap viel, werd hij bezocht door krijsende mensen die aan hem rukten en trokken en riepen dat ze weer wilden gaan leven. Ze wilden hun gezicht terug en eisten dat hij de portretten vernietigde.

Hoe hij ook probeerde uit te leggen dat hij de portretten niet meer had, er werd niet naar hem geluisterd.

Begin september durfde Edward niet meer te slapen. Zelfs met pillen die hem volgens de dokter in een droomloze slaap zouden storten, bleef hij beelden zien.

De zwijgende zwarte motorkoerier was al veertien dagen niet meer geweest, maar Edward merkte dat hij ieder moment van de dag wachtte op de deurbel.

Hij was met Andrew auto's wezen kijken. Het was een goed alternatief voor een weekend logeren. In één middag deden ze meer dan in twee dagen. Ze praatten meer met elkaar, lachten meer, hadden meer contact.

Edward zag dat Andrew het veel meer naar zijn zin had als ze samen iets deden dan wanneer ze alleen maar thuis zaten. Als dit ooit overgaat, dacht hij, als ik ooit iets vind om uit de greep van Pizza Napoli te komen, beter ik mijn leven.

Andrew hield zijn mond tegen zijn moeder. Hij vertelde niet hoe slecht zijn vader eruitzag. Over de gejaagde blik in zijn ogen zei hij ook niets. En waar hij vanzelfsprekend over zweeg was de schoenendoos die hij had gevonden toen hij zijn bergschoenen had gezocht. De schoenendoos die helemaal vol zat met briefjes van vijfhonderd pond.

Andrew liet aan zijn vader niet merken dat hij blij was om in het weekend niet meer te hoeven komen. Er was iets aan de hand waarbij hij zich zo onveilig voelde, dat zelfs het tegenwoordig keurig schoongemaakte huis een spookhuis leek.

Hoe kwam zijn vader aan al dat geld? Het was niet verdiend met illustraties of portretten, dat was Andrew wel duidelijk. Wat hij ook begreep was waar het geld wel vandaan kwam: van de maffia die zich vermomde als een pizzabedrijf.

16

De deurbel ging om halftien. Edward was nog maar net op. In zijn ochtendjas stond hij tegen het aanrecht geleund met een kop koffie.

Het gerinkel van de bel kwam hem bekend voor, alsof er maar één iemand was die op deze manier aanbelde.

De zwarte koerier stak hem een envelop toe die dikker was dan normaal.

Zoals altijd keek Edward hoe de koerier verdween in het verkeer.

Binnen, in zijn werkkamer, maakte hij de envelop open. Er kwamen vijf foto's uit en een kaartje met vijf namen en de tekst: 'Grote spoed. 400.000'.

Tachtigduizend pond! Bijna het dubbele van wat er normaal voor een portret betaald werd. Als ik deze portretten af heb, ben ik zowat miljonair, dacht Edward. Op het vasteland van Europa zou ik al miljonair zijn!

Zoals hij altijd al had geweten loste geld alle problemen op. En dit enorme bedrag, dit kapitaal, zou Edwards grootste probleem oplossen. Hij kon vertrekken. Met de noorderzon het land verlaten en ergens op een stil plekje in het noorden van Portugal gaan wonen, waar het land dunbevolkt was en niemand hem zou zoeken. Dit werd zijn laatste klus. Hij liet de foto's op zijn werktafel glijden en bekeek ze. Zijn mond viel open. Vier bekende gezichten keken hem aan.

De eerste foto was van een bekend gemeenteraadslid dat zich druk maakte voor het veilig houden van het stadscentrum. Een misdaadbestrijder dus. De tweede man kende hij van gezicht; van foto's in de krant en programma's van de lokale televisie. Edward kon hem even niet thuisbrengen, maar hij maakte zich er niet moe om, want foto drie en vier hadden al zijn aandacht en gedachten nodig.

De derde foto was van meneer Gualtièry, genomen op het feest van Bella Beluga. Edward herkende de achtergrond. Meneer Gualtièry. Zijn eigen adjudant. Waarom wilde Beluga van hem af? Wat was er in hemelsnaam aan de hand? Vertrouwde Beluga zijn rechterhand niet meer? In de kranten had Edward niets gelezen over grote misdaadoperaties. De wereldoorlog die Pizza Napoli uitvocht, was blijkbaar ook nog eens een burgeroorlog.

De man op de vierde foto was, net als meneer Gualtièry, een bekende. Inspecteur Cheshire stond op het dodenlijstje van Paolo Beluga.

Edward ging in zijn stoel zitten en staarde lang naar de foto's. Twee portretten kon hij sowieso niet maken. Gualtièry en Cheshire kende hij persoonlijk en bij hen zouden de portretten niet meer dan portretten zijn. Geen mysterieuze dodelijke wapens, maar onschadelijke tekeningen. De andere twee mannen waren geen misdadigers, maar juist misdaadbestrijders. Edward had er al zo'n moeite mee om misdadigers en ander tuig te tekenen. Twee onschuldige mensen tekenen die juist vochten voor recht en orde, stuitte hem zo tegen de borst dat hij ging beven bij de gedachte alleen al. Ik kan dit niet, besefte hij, terwijl het zweet op zijn voorhoofd kwam. Ik kán deze klus niet aannemen. Niet alleen omdat hij het niet kon... het kon doodgewoon niet. Maar hoe moest hij dat aan Beluga vertellen als hij hem niet eens te spreken kon krijgen?

De zaak begon uit de hand te lopen. Edward veegde het zweet van zijn voorhoofd, schoof met een wild gebaar de foto's op de grond en probeerde zijn gedachten te ordenen.

Wat kon er aan de hand zijn bij Pizza Napoli?

Twee mogelijkheden: Meneer Gualtièry had spijt gekregen van zijn hele lange leven in de misdaad. Hij was naar rechercheur Cheshire gegaan en had alles opgebiecht. Nu waren twee bestuurders, gemeenteraadslid en wethouder of zoiets, bezig Beluga's zaak op te rollen. Daarom moesten ze allemaal dood.

Andere mogelijkheid: Gualtièry had er genoeg van altijd op de tweede plaats te moeten staan. Hij wilde de plek van zijn baas innemen. Samen met twee corrupte bestuurders van de stad is hij het een of andere illegale handeltje begonnen.

Rechercheur Cheshire krijgt van Gualtièry genoeg informatie om Paolo Beluga in te rekenen en achter de tralies te zetten.

Hoe het complot dan ook in elkaar mocht zitten, Edward wist dat hij gevaar liep. Het kon niet anders of hij was het gevaarlijkste wapen dat Beluga bezat. Wie anders dan hij kon door elke beveiliging heen komen met zijn dodelijke wapen? Geen enkele andere huurmoordenaar kon wat hij kon. Hoe dan ook, Gualtièry zou van Edward af willen. Edward kon de opdracht niet aannemen. Hij kon twee portretten wel tekenen, maar ze zouden niets doen. De andere twee portretten wílde hij niet maken.

Hij was al zo moe, zijn gedachten waren al zo verstrooid als gemorst zout op een tafelblad. Hij wreef over zijn gezicht, voelde de aderen op zijn schedel kloppen.

Slaap, als hij maar weer eens kon slapen...

Wat er ook gebeurt, dacht hij, na een hele tijd wrijvend voor zich uit te hebben gestaard, wat er ook gebeurt, het geld moet veilig zijn.

Hij opende het luik, pakte de schoenendoos en ging ermee naar de dichtstbijzijnde bank, waar hij een kluisje huurde. Ze waren erg makkelijk bij de bank. Zolang hij maar betaalde, kon hij zelfs onder de naam John Smith een kluis krijgen. Dat hij als de heer Smith flink meer huur moest betalen, maakte hem voor deze keer weinig uit.

Weer thuis stelde hij zo lang mogelijk uit wat hij vervolgens moest doen. Hij kon de keuze niet maken. Te moe, te bang, te verward. Moest hij de tekeningen maken en het geld aannemen, of moest hij Beluga bellen om te zeggen dat hij de opdracht weigerde? Moest hij juist rechercheur Cheshire bellen om hem te vertellen dat hij in gevaar was?

Moest hij proberen met meneer Gualtièry contact op te nemen en hem aanbieden voortaan voor hém te werken? Hij kwam er niet uit. Te veel keuzes voor zijn vermoeide hoofd.

Edward viel in slaap in zijn stoel. Zijn nachtmerries bleven weg, maar dat wilde niet zeggen dat hij uitgerust was toen hij midden in de nacht wakker schrok.

Hij had het gevoel dat er iemand in huis was, een sluipende schaduw misschien, iemand met een mes of een pistool misschien... Er was niemand, maar er kon iemand komen. Vandaag, overmorgen, volgende week...

Edward sleepte zich naar bed. Daar kon hij lang niet in slaap komen, maar toen hij eindelijk sliep, begonnen er al snel mensen zonder gezicht tegen hem te krijsen.

De volgende ochtend, toen hij opstond alsof hij de hele nacht bakstenen had gesjouwd, had hij toch een besluit genomen. Hij wist dat het niet deugde, maar hij zou het toch doen: de vier portretten tekenen, het geld in ontvangst nemen en er daarna razendsnel vandoor gaan.

Met een zwaar hoofd van vermoeidheid schreef hij Andrew een briefje, stopte de kluissleutel in de envelop en likte hem dicht.

Op weg naar de brievenbus passeerde hij de kiosk, waar de ochtendkranten in rekken hingen. De krantenkoppen sprongen hem tegemoet. 'Paolo Beluga gearresteerd', 'Pizza-lijn opgerold' en een zogenaamd grappige: 'Pizza met extra kaas en XTC'.

Edward kocht alle drie de kranten. Met het gevoel dat hij achtervolgd werd door een gewapende schaduw postte hij de brief en ging naar huis. Halverwege begon hij te hollen.

Thuis, met de deur op het nachtslot, las hij de krantenartikelen die allemaal hetzelfde verhaal vertelden, hoewel er in elk artikel andere details stonden.

Na een tip uit criminele kringen, had een onderzoeks-
team onder leiding van rechercheur Cheshire een inval
gedaan in een loods van de Pizza Napoli-keten. Daar was
een verborgen kelder gevonden met een XTC-laboratori-
um. De computers en alle papieren van het bedrijf waren
in beslag genomen. De politie verwachtte nog veel meer
te vinden. Het gerucht ging dat Pizza Napoli een dekmantel was voor een maffiaorganisatie.

De twee gemeenteraadsleden, Rafferty en May, die
samen de commissie georganiseerde misdaad voorzaten
waren uiterst tevreden met de vangst. Edward begreep
dat de twee bestuurders al een poosje met allerlei regels
en wetjes bezig waren het Beluga en zijn kompanen bijna
onmogelijk te maken verder te gaan met hun zaakjes.
Daarom was hun foto dus opgestuurd. Ze stonden op de
dodenlijst.

Er werden nog wat namen genoemd die Edward niets
zeiden, maar de naam Gualtièry kwam in geen van de artikelen voor. Waarom niet? Was hij de tipgever uit criminele kringen? Edward wist het vrijwel zeker. De oorlog
was gewonnen door Gualtièry. Hij wist ook wat er ging
gebeuren als meneer Gualtièry de macht eenmaal stevig
in handen had. In alle gangsterfilms kon je zien wat een
machtsovername voor gevolgen had: alleen de trouwe
bendeleden mochten blijven. De rest werd uit de weg geruimd.

Gualtièry wist, of vermoedde, waarschijnlijk dat Beluga
hem op de dodenlijst had gezet. Edward hoorde bij de
oude knechten van Beluga, dus...

Nee, dacht hij. Nee. Hij had zich een glas whisky ingeschonken en voelde zijn angst veranderen in een raar

soort dapperheid. Nee. Ik ben uniek. Ik ben waardevoller voor Gualtièry dan welke sluipschutter, gifmenger of bommenlegger ook. Er is op de hele wereld niemand zoals ik. Morgen bel ik Gualtièry om hem mijn diensten aan te bieden. Hij zal er 'ja' tegen zeggen. Natuurlijk doet hij dat!

De telefoon ging die dag een paar keer, maar Edward nam niet op. Hij was druk bezig zich moed in te drinken en had er de hele fles whisky voor nodig.

17

Andrew had de krantenkoppen ook gelezen. Aan zijn moeder liet hij niets merken, maar hij was behoorlijk bezorgd. In de loop van de dag, tijdens tussenuren, in de pauzes en later thuis, belde hij zijn vader, maar er werd niet opgenomen.

Het oprollen van de Pizza Napoli-keten was landelijk nieuws, het journaal besteedde er uitgebreid aandacht aan. Ook aan de merkwaardige kunstverzameling die in het huis van Paolo Beluga en zijn vrouw was aangetroffen. In een aparte kamer hingen portretten van alle overleden concurrenten en tegenstanders van Paolo Beluga. Een lugubere manier om te onthouden wie er allemaal uit de weg waren geruimd, merkte de nieuwslezer op. Hij wist erbij te vertellen dat het rechercheteam de doodsoorzaken van de geportretteerden aan het natrekken was.

Andrew was blij dat zijn moeder in de keuken de afwasmachine laadde, want ook zij zou de portretten direct herkend hebben: ze waren allemaal gemaakt door zijn vader.

Hij was geen ster in rekenen en misschien was het juist

daarom dat nu pas de som van twee plus twee vijf werd;
Andrew legde de link met de schoenendoos vol geld in de
kelder, de schilderijen en het vreemde gedrag van zijn
vader onmiddellijk. Hetty... het was met haar begonnen.
Eerst Hetty, toen Linda... en toen... toen de mensen op het
portretten in Beluga's kamer. Andrew voelde een spin
over zijn ruggengraat omhoog wandelen. Er was iets vre-
selijks aan de hand. Zijn vader... de portretten... het geld...
Morgen moet ik naar hem toe, dacht Andrew. Ik moet
hem waarschuwen, of helpen, of... weet ik wat, maar ik
móét iets doen.
'Ik ga morgen even bij papa langs!' riep hij naar de keuken.

De volgende ochtend had Andrew de eerste twee lesuren
vrij. Hij had zich voorgenomen om vroeg op te staan en
vóór schooltijd langs zijn vader te gaan, maar omdat hij
tot diep in de nacht wakker had gelegen, versliep hij zich.
Hij moest zich haasten om op tijd op school te komen.
Terwijl hij zijn jas aantrok, werd de post naar binnen ge-
schoven. Drie enveloppen vielen met een plofje op de
mat. Andrew bekeek ze even verbaasd. Wat maakte de
brieven zo zwaar dat ze ploften? De bovenste envelop
was voor hem, van zijn vader. Hij pakte hem op, voelde
dat er iets anders in zat dan alleen papier en propte hem
in zijn jaszak. Geen tijd om hem te openen. Hij racete
naar school. Straks, in de middagpauze, zou hij naar zijn
vader gaan.

Edward werd wakker met een hoofd als een gummetje.
De whisky had hem behoorlijk te pakken genomen. Hij

kon zich niet eens meer herinneren hoe hij in bed was gekomen. In zijn ochtendjas, met een wazige blik op de wereld, liep hij naar de keuken om koffie te zetten.

De herinnering aan het journaal dat hij gisteravond gezien had, kwam binnen als een trein in de mist. Denderend, razendsnel, maar pas op het laatste moment zichtbaar.

Zijn tekeningen! De politie had zijn portretten gevonden in het huis van Beluga. Hoelang zou het duren voor ze wisten dat híj ze gemaakt had? Een ochtend, hooguit, misschien een hele dag. Maar ze zouden op zijn stoep staan, daar kon je vergif op innemen. En Gualtièry zou maatregelen treffen. Edward werd per hartslag helderder. Hij moest maken dat hij wegkwam, óf hij moest zich als de donder aangeven bij de politie. Op de een of andere manier leek een cel in het politiebureau hem nu de veiligste plek ter wereld.

Met een kop koffie in zijn hand, liep hij naar de telefoon, pakte het telefoonboek en zocht naar het nummer van het politiebureau op King's Head Hill. Terwijl hij bladerde ging de deurbel. Edward schoot overeind alsof het rinkelen van de bel het gieren van een kogel was, die op hem werd afgevuurd. Hij was al bezig zich onder zijn werktafel te verstoppen, toen hij bedacht dat hij in huis nog steeds veilig was, zolang hij de deur maar niet opendeed.

Hij liep naar de gang toen de bel voor de derde keer ging. De brievenbus klepperde en een bruine envelop viel op de mat.

Edward liep eropaf alsof er een ratelslang in de gang lag. De envelop kwam onmiskenbaar van de zwijgende zwarte koerier. Terwijl hij ernaar keek, hoorde hij buiten een motor wegrijden.

Edward deed de twee stappen naar de envelop met net zoveel moeite als een hardloper die nog een honderdste van een seconde probeert te winnen op de honderd meter.

Hij keek ernaar, bukte, reikte, trok zijn arm weer terug. Heel lang stond hij zo in de gang, weifelend, en zich tegelijkertijd afvragend of hij bang moest zijn, of blij. Misschien zou er een foto tussen twee kartonnetjes uit de envelop glijden, samen met een briefje uit een printer. Een briefje met een bedrag erop.

Uiteindelijk pakte hij de envelop op. Het papier beet niet.

Hij liep ermee naar zijn werkkamer. Terwijl hij verder zocht naar het telefoonnummer van de politie, wist hij dat hij zijn besluit genomen had. De angst woog niet op tegen het geld dat hij voor zijn portretten kreeg. Hij zou rechercheur Cheshire alles vertellen wat hij wist.

Edward toetste het nummer van het politiebureau in en scheurde de bruine envelop open terwijl de telefoon overging.

'Politiebureau King's Head Hill,' zei een routineuze telefoonstem.

'Ik wil rechercheur Cheshire graag spreken.'

'Ik verbind u door.'

Terwijl hij wachtte, schudde Edward de envelop leeg. Als eerste viel er een kaartje uit, waar met handschrift op stond: 'Groeten uit Palermo, Sicilië'.

Daarna kwamen er twee kartonnetjes uit, waar een foto tussen zat.

Groeten uit Palermo, dacht Edward. Is Gualtièry naar Sicilië gevlucht? Hij schoof het bovenste kartonnetje weg op het moment dat een stem zei: 'Scotland Yard, wie wilt u spreken?'

'Rechercheur Cheshire, alstublieft,' zei Edward.

De deurbel ging.

Toen zag Edward de foto. Het was een foto van hemzelf. Een haarscherp portret van hém, in Palermo.

Maar ik ben nog nooit op Sicilië geweest, dacht hij geschrokken. Ik heb niet geposeerd voor deze foto.

Hoe kan iemand mij gefotografeerd hebben op een plek waar ik nog nooit geweest ben? Onmogelijk!

Aan de andere kant van de lijn zei een stem: 'Rechercheur Cheshire is niet op zijn plek, kan ik een boodschap voor hem aannemen?'

Edward antwoordde niet. Hij keek verbijsterd naar de foto. Onmogelijk, onmogelijk dat iemand hem had kunnen fotograferen op Sicilië. Net zo onmogelijk als de decors die hij voor zijn portretten had verzonnen: iemand voor de Londen Tower, of bij het Parthenon in Athene.

Maar hij wás het wel. Hij stond daar in zijn overhemd, in een Siciliaans decor.

Gualtièry, dacht hij. Gualtièry heeft iemand gevonden... een fotograaf met dezelfde gave als ik. Een stalen band leek zich om zijn borst te snoeren en alles werd zwart.

Ook verschenen in *Dossier gesloten*:

Tais Teng

Duizend eilanden ver

ISBN 90 261 1933 X

'Woont hier misschien een zekere Stella?' Neil ver-
stijft als hij de naam van zijn moeder hoort. 'Nee,
sorry,' liegt hij, 'niemand hier die zo heet.'
Neils moeder is een vluchtelinge uit een ver en on-
bekend land. Haar oude familie wil haar terug
hebben. Tot elke prijs…